La Convention

Victor Hugo

LA CONVENTION

I.

Nous approchons de la grande cime.

Voici la Convention.

Le regard devient fixe en présence de ce sommet.

Jamais rien de plus haut n'est apparu sur l'horizon des hommes.

Il y a l'Himalaya et il y a la Convention.

La Convention est peutètre le point culminant de l'histoire.

Du vivant de la Convention, car cela vit, une assemblée, on ne se rendait pas compte de ce qu'elle était. Ce qui échappait aux contemporains, c'était précisément sa grandeur; on était trop effrayé pour être ébloui. Tout ce qui est grand a une horreur sacrée. Admirer les médiocres et les collines, c'est aisé; mais ce qui est trop haut, un génie aussi bien qu'une montagne, une assemblée aussi bien qu'un chefd'uvre, vus de trop près, épouvantent. Toute cime semble une exagération. Gravir fatigue. On s'essouffle aux escarpements, ou glisse sur les pentes, on se blesse à des aspérités qui sont des beautés; les torrents, en écumant, dénoncent les précipices, les nuages cachent les sommets; l'ascension terrifie autant que la chute. De là plus d'effroi que d'admiration. On éprouve ce sentiment bizarre, l'aversion du grand. On voit les abîmes, on ne voit pas les sublimités; on voit le monstre, on ne voit pas le prodige. Ainsi fut d'abord jugée La Convention. La Convention fut toisée par les myopes, elle, faite pour être contemplée par les aigles.

Aujourd'hui elle est en perspective, et elle dessine sur le ciel profond, dans un lointain serein et tragique, l'immense profil de la révolution française.

Le juillet avait délivré.

Le août avait foudroyé.

Le septembre fonda.

Le septembre, l'équinoxe, l'équilibre. Libra. La balance. Ce fut, suivant la remarque de Romme, sous ce signe de l'Égalité et de la Justice que la république fut proclamée. Une constellation fit l'annonce.

La Convention est le premier avatar du peuple. C'est par la Convention que s'ouvrit la grande page nouvelle et que l'avenir d'aujourd'hui commença.

A toute idée il faut une enveloppe visible, à tout principe il faut une habitation; une église, c'est Dieu entre quatre murs, à tout dogme il faut un temple. Quand la Convention fut, il y eut un dernier problème à résoudre, loger la Convention.

On prit d'abord le Manège, puis les Tuileries. On y dressa un châssis, un décor, une grande grisaille peinte par David, des bancs symétriques, une tribune carrée, des pilastres parallèles, des socles pareils à des billots, de longues étraves rectilignes, des alvéoles rectangulaire où se pressait la multitude et qu'on appelait les tribunes publiques, un velarium romain, des draperies grecques, et dans ces angles droits et dans ces lignes droites on installa la Convention: dans cette géométrie on mit la tempête. Sur la tribune le bonnet rouge était peint en gris. Les royalistes commencèrent par rire de ce bonnet rouge gris, de cette salle postiche, de ce monument de carton, de ce sanctuaire de papier mâché, de ce panthéon de boue et de crachat. Comme cela devait, disparaître vite! Les colonnes étaient en douves de tonneau, les voûtes étaient en volige, les basreliefs étaient en mastic, les entablements étaient en sapin, les statues étaient en plâtre, les marbres étaient en peinture, les murailles étaient en toile; et dans ce provisoire la France a fait de l'éternel.

Les murailles de la salle du Manège, quand la Convention vint y tenir séance, étaient toutes couvertes des affiches qui avaient pullulé dans Paris à l'époque du retour de Varennes. On lisait sur l'une:Le roi rentre. Bâtonner qui l'applaudira, pendre qui l'insultera.Sur une autre:Paix là. Chapeaux sur la tête. Il va passer devant ses juges.Sur une autre:Le roi a couché la nation en joue. Il a fait long feu. À la nation de tirer maintenant.Sur une autre: La Loi! La Loi! Ce fut entre ces murslà que la Convention jugea Louis XVI.

Aux Tuileries, où la Convention vint siéger le mai , et qui s'appelèrent le PalaisNational, la salle des séances occupait tout l'intervalle entre le pavillon de l'horloge appelé pavillonUnité et le pavillon Marsan appelé pavillonLiberté. Le pavillon de Flore s'appelait pavillonÉgalité. C'est par le grandescalier de Jean Bullant qu'on montait à la salle des séances. Sous le premier étage occupé par l'assemblée, tout le rezdechaussée du palais était une sorte de longue salle des gardes, encombrée des faisceaux et des lits de camp des troupes de toutes armes qui veillaient autour de la Convention. L'assemblée avait une garde d'honneur qu'on appelait «les grenadiers de la Convention».

Un ruban tricolore séparait le château où était l'assemblée du jardin où le peuple allait et venait.

Ce qu'était la salle des séances, achevons de le dire. Tout intéresse de ce lieu terrible.

Ce qui, en entrant, frappait d'abord le regard, c'était, entre deux larges fenêtres, une haute statue de la Liberté.

Quarantedeux mètres de longueur, dix mètres de largeur, onze mètres de hauteur, telles étaient les dimensions de ce qui avait été le théâtre du roi et de ce qui devint le théâtre de la révolution. L'élégante et magnifique salle bâtie par Vigarani pour les courtisans disparut sous la sauvage charpente qui en dut subir le poids du peuple. Cette charpente, sur laquelle s'échafaudaient les tribunes publiques, avait, détail qui vaut la peine d'être noté, pour point d'appui unique un poteau. Ce poteau était d'un seul morceau, et avait dix mètres de portée. Peu de cariatides ont travaillé comme ce poteau: il a soutenu pendant des années la rude poussée de la révolution. Il a porté l'acclamation, l'enthousiasme, l'injure, le bruit, le tumulte, l'immense chaos des colères, l'émeute. Il n'a pas fléchi. Après la Convention, il a vu le conseil des Anciens. Le brumaire l'a relayé.

Percier alors remplaça le pilier de bois par des colonnes de marbre, qui ont moins duré.

L'idéal des architectes est parfois singulier; l'architecte de la rue de Rivoli a eu pour idéal la trajectoire d'un boulet de canon, l'architecte de Carlsruhe a eu pour idéal un éventail; un gigantesque tiroir de commode, tel semble avoir été l'idéal dr l'architecte qui construisit la salle où la Convention vint siéger le mai ; c'était long, haut et plat. À l'un des grands côtés du parallélogramme était adossé un vaste demicirque; c'était l'amphithéâtre des bancs des représentants, sans tables ni pupitres: GaranCoulon, qui écrivait beaucoup, écrivait sur son genou: en face des bancs, la tribune; devant la tribune, le buste de LepelletierSaintFargeau; derrière la tribune, le fauteuil du président.

La tête du buste dépassait un peu le rebord de la tribune; ce qui fit que, plus tard, on l'ôta de là.

L'amphithéâtre se composait de dixneuf bancs demicirculaires, étagés les uns derrière les autres; des tronçons de bancs prolongeaient cet amphithéâtre dans les deux encoignures.

En bas, dans le fer à cheval au pied de la tribune, se tenaient les huissiers.

D'un côté de la tribune, dans un cadre de bois noir, était appliqué au mur une pancarte de neuf pieds de haut, portant, sur deux pages séparées par une sorte de sceptre, la Déclaration des droits de l'homme; de l'autre côté, il y avait une place vide qui plus tard fut occupée par un cadre pareil contenant la Constitution de l'an II, dont les deux pages étaient séparées par un glaive. Audessus de la tribune, audessus de la tête de l'orateur, frissonnaient, sortant d'une profonde loge à deux compartiments pleine de peuple, trois immenses drapeaux tricolores, presque horizontaux, appuyés à un autel sur lequel on lisait: LA LOI. Derrière cet autel, se dressait, comme la sentinelle de la parole libre, un énorme faisceau romain, haut comme une colonne. Des statues colossales, droites contre le mur, faisaient face aux représentants. Le président avait à sa droite Lycurgue et à sa gauche Solon; audessus de la Montagne il y avait Platon.

Ces statues avaient pour piédestaux de simples dés, posés sur une longue corniche saillante qui faisait le tour de la salle et séparait le peuple de l'assemblée. Les spectateurs s'accoudaient à cette corniche.

Le cadre de bois noir du placard des Droits de l'Homme montait jusqu'à la corniche et entamait le dessin de l'entablement, effraction de la ligne droite qui faisait murmurer Chabot.C'est laid, disaitil à Vadier.

Sur les têtes des statues, alternaient des couronnes de chêne et de laurier.

Une draperie verte, où étaient peintes en vert plus foncé les mêmes couronnes, descendait à gros plis droits de la corniche de pourtour et tapissait tout le rezdechaussée de la salle occupée par l'assemblée. Audessus de cette draperie la muraille était blanche et froide. Dans cette muraille se creusaient, coupés comme à l'emportepièce, sans moulure ni rinceau, deux étages de tribunes publiques, les carrées en bas, les rondes en haut; selon la règle, car Vitruve n'était pas détrôné, les archivoltes étaient superposées aux architraves. Il y avait dix tribunes sur chacun des grands côtés de la salle, et à chacune des deux extrémités deux loges démesurées: en tout vingtquatre. Là s'entassaient les foules.

Les spectateurs des tribunes inférieures débordaient sur tous les platsbords et se groupaient sur tous les reliefs de l'architecture. Une longue barre de fer, solidement scellée à hauteur d'appui servait de gardefou aux tribunes hautes, et garantissait les spectateurs contre la pression des cohues montant les escaliers. Une fois pourtant, un homme fut précipité dans l'assemblée, il tomba un peu sur Massieu, évêque de Beauvais, ne se tua pas, et dit: Tiens! C'est donc bon à quelque chose un évêque!

La salle de la Convention pouvait contenir deux mille personnes, et, les jours d'insurrection, trois mille.

La Convention avait deux séances, une du jour, une du soir.

Le dossier du président était rond, à clous dorés. Sa table était contrebutée par quatre monstres ailés à un seul pied, qu'on eût dit sortis de l'apocalypse pour assister à la révolution. Ils semblaient avoir été dételés du char d'Ézéchiel pour venir traîner le tombereau de Sanson.

Sur la table du président il y avait une grosse sonnette, presque une cloche, un large encrier de cuivre, et un infolio relié en parchemin qui était le livre des procèsverbaux.

Des têtes coupées, portées au bout d'une pique, se sont égouttées sur cette table.

On montait à la tribune par un degré de neuf marches. Ces marches étaient hautes, roides, et assez difficiles; elles firent un jour trébucher Gensonné qui les gravissait. C'est un escalier d'échafaud!ditil. Fais ton apprentissage, lui cria Carrier.

Là où le mur avait paru trop nu, dans les angles de la salle, l'architecte avait appliqué pour ornements des faisceaux, la hache en dehors.

À droite et à gauche de la tribune, des socles portaient deux candélabres de douze pieds de haut, ayant à leur sommet quatre paires de quinquets. Il y avait dans chaque loge publique un candélabre pareil. Sur les socles de ces candélabres étaient sculptés des ronds que le peuple appelait «colliers de guillotine».

Les bancs de l'assemblée montaient presque jusqu'à la corniche des tribunes; les représentants et le peuple pouvaient dialoguer.

Les vomitoires des tribunes se dégorgeaient dans un labyrinthe de corridors, plein parfois d'un bruit farouche.

La Convention encombrait le palais et refluait jusque dans les hôtels voisins, l'hôtel de Longueville, l'hôtel de Coigny. C'est à l'hôtel de Coigny qu'après le août, si l'on en croit une lettre de lord Bradford, on transporta le mobilier royal. Il fallut deux mois pour vider les Tuileries.

Les comités étaient logés aux environs de la salle; au pavillonEgalité, la législation, l'agriculture et le commerce; au pavillonLiberté, la marine, les colonies, les finances, les assignats, le salut public; au pavillonUnité, la guerre.

Le comité de sûreté générale communiquait directement avec le comité de salut public par un couloir obscur, éclairé nuit et jour d'un réverbère, où allaient et venaient les espions de tous les partis. On y parlait bas.

La barre de la Convention a été plusieurs fois déplacée. Habituellement elle était à la droite du président.

Aux deux extrémités se la salle, les deux cloisons verticales qui fermaient du côté droit et du coté gauche les demicercles concentriques de l'amphithéâtre laissaient entre elles et le mur deux couloirs étroits et profonds sur lesquels s'ouvraient deux sombres portes carrées. On entrait et on sortait par là.

Les représentants entraient directement dans la salle par une porte donnant sur la terrasse des Feuillants.

Cette salle, peu éclairée le jour par de pâles fenêtres, mal éclairée quand venait le crépuscule par des flambeaux livides, avait on ne sait quoi de nocturne. Ce demiéclairage s'ajoutait aux ténèbres du soir; les séances aux lampes étaient lugubres. On ne se voyait pas; d'un bout de la salle à l'autre, de la droite à la gauche, des groupes de faces vagues s'insultaient. On se rencontrait sans se reconnaître. Un jour Laignelot, courant à la tribune, se heurte, dans le couloir de descente, à quelqu'un. Pardon, Robespierre, ditil.Pour qui me prendstu? répond une voix rauque.Pardon, Marat, dit Laignelot.

En bas, à droite et à gauche du président, deux tribunes étaient réservées; car, chose étrange, il y avait à la Convention des spectateurs privilégiés. Ces tribunes étaient, les seules qui eussent une draperie. Au milieu de l'architrave, deux glands d'or relevaient cette draperie. Les tribunes du peuple étaient nues.

Tout cet ensemble était violent, sauvage, régulier. Le correct dans le farouche; c'est un peu toute la révolution. La salle de la Convention offrait le plus complet spécimen de ce que les artistes ont appelé depuis «l'architecture messidor». C'était massif et grêle. Les bâtisseurs de ce tempslà prenaient le symétrique pour le beau. Le dernier mot de la renaissance avait été dit sous Louis XV, et une réaction s'était faite. On avait poussé le noble jusqu'au fade, et la pureté jusqu'à l'ennui. La pruderie existe en architecture. Après les éblouissantes orgies de forme et de couleur du dixhuitième siècle, l'art s'était mis à la diète, et ne se permettait plus que la ligne droite. Ce genre de progrès aboutit à la laideur. L'art réduit au squelette, tel est le phénomène. C'est l'inconvénient de ces sortes de sagesses et d'abstinences; le style est si sobre qu'il devient maigre.

Eu dehors de toute émotion politique, et à ne voir que l'architecture, un certain frisson se dégageait de cette salle. On se rappelait confusément l'ancien théâtre, les loges enguirlandées, le plafond d'azur et de pourpre, le lustre à facettes, les girandoles à reflets de diamants, les tentures gorge de pigeon, la profusion d'amours et de nymphes sur le rideau et sur les draperies, toute l'idylle royale et galante, peinte, sculptée et dorée, qui avait empli de son sourire ce lieu sévère, et l'on regardait partout autour de soi ces durs angles rectilignes, froids et tranchants comme l'acier; c'était quelque chose comme Boucher guillotiné par David.

Qui voyait l'assemblée ne songeait plus à la salle. Qui voyait le drame ne pensait plus au théâtre. Rien de plus difforme et de plus sublime. Un tas de héros, un troupeau de lâches. Des faunes sur une montagne, des reptiles dans un marais. Là fourmillaient, se coudoyaient, se provoquaient, se menaçaient, luttaient et vivaient tous ces combattants qui sont aujourd'hui des fantômes.

Dénombrement titanique.

À droite, la Gironde, légion de penseurs; à gauche, la Montagne, troupe d'athlètes. D'un côté, Brissot, qui avait reçu les clefs de la Bastille; Barbaroux, auquel obéissaient les Marseillais; Kervélégan, qui avait sous la main le bataillon de Brest, caserné au faubourg SaintMarceau; Gensonné, qui avait établi la suprématie des représentants sur les généraux; le fatal Guadet, auquel une nuit, aux Tuileries, la reine avait montré le dauphin endormi; Guadet baisa le front de l'enfant et fit tomber la tête du père; Salles, le dénonciateur chimérique des intimités de la Montagne avec l'Autriche; Sillery, le boiteux de la droite, comme Couthon était le culdejatte de la gauche; LauseDuperret, qui, traité de scélérat par un journaliste, l'invita à dîner en disant: «Je sais que «scélérat veut simplement dire l'homme qui ne pense pas comme nous.» BanantSaintÉtienne, qui avait commencé son almanach de par ce mot: La révolution est finie; Quinette, un de ceux qui précipitèrent Louis XVI; le janséniste Camus, qui rédigeait la constitution civile du clergé, croyait aux miracles du diacre Paris, et se prosternait toutes les nuits devant un christ de sept pieds de haut cloué au mur de sa chambre; Fauchet, un prêtre qui, avec Camille Desmoulins, avait fait le juillet; Isnard, qui commit le crime de dire: Paris sera détruit, au moment même où Brunswick disait: Paris sera brûlé; Jacob Dupont, le premier qui cria: Je suis athée, et à qui Robespierre répondit:L'athéisme est aristocratique; Lanjuinais, dure, sagace et vaillante tête bretonne, Ducos, l'Euryale de BoyerFonfrède; Rebecqui, le Pylade de Barbaroux, Rebecqui donnait sa démission parce qu'on n'avait pas encore guillotiné Robespierre; Richaud, qui combattait la permanence des sections; Lasource, qui avait émis cet apophtegme meurtrier: Malheur aux nations Reconnaissantes! et qui, au pied de l'échafaud, devait se contredire par cette fière parole jetée aux montagnards: Nous mourons parce que le peuple dort, et vous mourrez parce que le peuple se réveillera; Birotteau, qui fit décréter l'abolition de l'inviolabilité, fut ainsi, sans le savoir, le forgeron du couperet, et dressa l'échafaud pour luimême; Charles Villette, qui abrita sa conscience sous cette protestation: Je ne veux pas voter sous les couteaux; Louvet, l'auteur de Faublas, qui devait finir libraire au PalaisRoyal avec Lodoïska au comptoir; Mercier, l'auteur du Tableau de Paris, qui s'écriait: Tous les rois ont senti sur leur nuque le janvier; Marec, qui avait pour souci «la faction des anciennes limites»; le journaliste Carra qui, au pied de l'échafaud, dit au bourreau: Ça m'ennuie de mourir. J'aurais voulu voir la suite; Vigée, qui s'intitulait grenadier dans le deuxième bataillon de Loire, et qui, menacé par les tribunes publiques, s'écriait: Je demande qu'au premier murmure des tribunes, nous nous retirions tous, et marchions à Versailles le sabre à la main! Buzot, réservé à la mort de faim; Valazé, promis à son propre poignard; Condorcet, qui devait mourir à BourglaReine devenu BourgEgalité, dénoncé par l'Horace qu'il avait dans sa poche; Pétion, dont la destinée était d'être adoré par la foule en et dévoré par les loups en ; vingt autres encore, Pontécoulant, Marboz, Lidon, SaintMartin, Dussaulx, traducteur de Juvénal, qui avait fait la campagne du Hanovre; Boilleau, Bertrand, LesterpBeauvais, Lesage, Gomaire, Gardien, Minvielle, Duplantier, Lacaze, Antiboul, et en tête un Barnave qu'on appelait Vergniaud.

De l'autre côté, AntoineLouisLéon Florelle de SaintJust, pâle, front bas, profil correct, oeil mystérieux, tristesse profonde, vingttrois ans; Merlin de Thionville, que les allemands appelaient FeuerTeufel, «le diable de feu»; Merlin de Douai, le coupable auteur de la loi des suspects; Soubrany, que le peuple de Paris, au premier prairial demanda pour général; l'ancien curé Lebon, tenant un sabre de la main qui avait jeté de l'eau bénite; BillaudVarenne, qui entrevoyait la magistrature de l'avenir: pas de juges, des arbitres; Fabre d'Eglantine, qui eut une trouvaille charmante, le calendrier républicain, comme Rouget de Lisle eut une inspiration sublime, la Marseillaise, mais l'un et l'autre sans récidive; Manuel, le procureur de la Commune, qui avait dit: Un roi mort n'est pas un homme de moins; Gonjon, qui était entré dans Tripstadt, dans Newtadt et dans Spire, et avait vu fuir l'armée prussienne; Lacroix, avocat changé en général, fait chevalier de SaintLouis six jours avant le août; FréronThersite, fils de FréronZoile; Ruhl, l'inexorable fouilleur de l'armoire de fer, prédestiné au grand suicide républicain, devant se tuer le jour où mourrait la république; Fouché, âme de démon, face de cadavre; Camboulas, l'ami du père Duchêne, lequel disait à Guillotin: Tu es du club des Feuillants, mais ta fille est du club des Jacobins; Jagot, qui à ceux qui plaignaient la nudité des prisonniers répondait: Une prison est un habit de pierre; Javogues, l'effrayant déterreur des tombeaux de SaintDenis; Osselin; proscripteur qui cachait chez lui une proscrite, madame Charry; Bentabole, qui, lorsqu'il présidait, faisait signe aux tribunes d'applaudir et de huer; le journaliste Robert, mari de mademoiselle de Kéralio, laquelle écrivait: Ni Robespierre ni Marat ne viennent chez moi; Robespierre y viendra quand il voudra, Marat, Jamais; GaranCoulon, qui avait fièrement demandé, quand l'Espagne était intervenue dans le procès de Louis XVI, que l'assemblée ne daignât pas lire la lettre d'un roi pour un roi; Grégoire, évêque digne d'abord de la primitive église, mais qui plus tard sous l'empire effaça le républicain Grégoire par le comte Grégoire; Amar, qui disait:Toute la terre condamne Louis XVI. A qui donc appeler du jugement? Aux planètes; Rouyer, qui s'était opposé, le janvier, à ce qu'on tirât le canon du PontNeuf, disant: Une tête de roi ne doit pas faire en tombant plus de bruit que la tête d'un autre homme; Chénier, frère d'André; Vadier, un de ceux qui posaient un pistolet sur la tribune; Tanis, qui disait à Momoro: Je veux que Marat et Robespierre s'embrassent à ma table chez moi.Où demeurestu?A Charenton.Ailleurs, m'eût étonné, disait Momoro; Legendre, qui fut le boucher de la révolution de France comme Pride avait été le boucher de la révolution d'Angleterre:Viens, que je T'assomme! criaitil à Lanjuinais. Et Lanjuinais répondait: Fais d'abord décréter que je suis un buf; Collot d'Herbois, ce lugubre comédien, ayant sur la face l'antique masque aux deux bouches qui disent Oui et Non, approuvant par l'une ce qu'il blâmait par l'autre, flétrissant Carrier à Nantes et déifiant Châlier à Lyon, envoyant Robespierre à l'échafaud et Marat au Panthéon; Génissieux, qui demandait la peine de mort contre quiconque aurait sur lui la médaille Louis XVI martyrisé; Léonard Bourdon, le maître d'école, qui avait offert sa maison au vieillard du MontJura; Topsent, marin, Goupilleau, avocat, Laurent Lecointre, marchand, Duhem, médecin, Sergent, statuaire, David, peintre, Joseph Egalité, prince. D'autres encore; LecointePuiraveau, qui demandait que Marat fût déclaré par décret «en état de démence»; Robert Lindet, l'inquiétant créateur de cette pieuvre dont la tête était le comité de sûreté générale et qui couvrait la France de vingt et un mille bras qu'on appelait les comités révolutionnaires; Leboeuf, sur qui GireyDupré, dans son Noël des faux patriotes, avait fait ce vers:

Leboeuf vit Legendre et beugla.

Thomas Paine, américain, et clément; Anacharsis Cloots, allemand, baron millionnaire, athée, hébertiste, candide; l'intègre Lebas, l'ami des Duplay; Rovère, un des rares hommes qui sont méchants pour la méchanceté, car l'art pour l'art existe plus qu'on ne croit; Charlier, qui voulait qu'on dît vous aux aristocrates; Tallien, élégiaque et féroce, qui fera le thermidor par amour; Cambacérès, procureur qui sera prince, Carrier, procureur qui sera tigre; Laplanche, qui s'écria un jour: Je demande la priorité pour le canon d'alarme; Thuriot, qui voulait le vote à haute voix des jurés du tribunal révolutionnaire; Bourdon de l'Oise, qui provoquait en duel Chambon, dénonçait Paine, et était dénoncé par Hébert; Fayau, qui proposait «l'envoi d'une armée incendiaire» dans la Vendée; Travot, qui le avril fut presque un médiateur entre la Gironde et la Montagne; Vernier, qui demandait que les chefs girondins et les chefs montagnards allassent servir comme simples soldats; Rewbell, qui s'enferma dans Mayence; Bourbotte, qui eut son cheval tué sous lui à la prise de Saumur; Guimberteau, qui dirigea l'armée des Côtes de Cherbourg; JardPanvillier, qui dirigea l'armée des Côtes de la Rochelle; Lecarpentier, qui dirigea l'escadre de Cancale; Roberjot, qu'attendait le guetapens de Rastadt; Prieur de la Marne, qui portait dans les camps sa vieille contreépaulette de chef d'escadron; Levasseur de la Sarthe, qui, d'un mot, décidait Serrent, commandant du bataillon de SaintAmand, à se faire tuer; Reverchon, Maure, Bernard de Saintes, Charles Richard, Lequinio, et au sommet de ce groupe un Mirabeau qu'on appelait Danton.

En dehors de ces deux camps, et les tenant tous deux en respect, se dressait un homme, Robespierre.

Audessous se courbaient l'épouvante, qui peut être noble, et la peur, qui est basse. Sous les passions, sous les héroïsmes, sous les dévouements, sous les rages, la morne cohue des anonymes. Les basfonds de l'assemblée s'appelaient la Plaine. Il y avait là tout ce qui flotte; les hommes qui doutent, qui hésitent, qui reculent, qui ajournent, qui épient, chacun craignant quelqu'un. La Montagne, c'était une élite, la Gironde, c'était une élite: la Plaine, c'était la foule. La Plaine se résumait et se condensait en Sieyès.

Sieyès, homme profond qui était devenu creux. Il s'était arrêté au tiersétat, et n'avait pu monter jusqu'au peuple. De certains esprits sont faits pour rester à micôte. Sieyès appelait tigre Robespierre qui l'appelait taupe. Ce métaphysicien avait abouti, non à la sagesse, mais à la prudence. Il était courtisan et non serviteur de la révolution. Il prenait une pelle et allait, avec le peuple, travailler au Champ de Mars, attelé à la même charrette qu'Alexandre de Beauharnais. Il conseillait l'énergie dont il n'usait point. Il disait aux Girondins: Mettez le canon de votre parti. Il y a les penseurs qui sont les lutteurs; ceuxlà étaient, comme Condorcet, avec Vergniaud, ou, comme Camille Desmoulins, avec Danton. Il y a les penseurs qui veulent vivre, ceuxci étaient avec Sieyès.

Les cuves les plus généreuses ont leur lie. Audessous même de la Plaine, il y avait le marais. Stagnation hideuse laissant voir les transparences de l'égoïsme. Là grelottait l'attente muette des trembleurs. Rien de plus misérable. Tous les opprobres, et aucune honte; la colère latente; la révolte sous la servitude. Ils étaient cyniquement effrayés; ils avaient tous les courages de la lâcheté; ils préféraient la Gironde et choisissaient la Montagne; le dénoûment dépendait d'eux; ils versaient du côté qui réussissait; ils livraient Louis XVI à Vergniaud, Vergniaud à Danton, Danton à Robespierre, Robespierre à Tallien. Ils piloriaient Marat vivant et divinisaient Marat mort. Ils soutenaient tout jusqu'au jour où ils renversaient tout. Ils avaient l'instinct de la poussée décisive à donner à tout ce qui chancelle. À leurs yeux, comme ils s'étaient mis en service à la condition qu'on fût solide, chanceler, c'était les trahir. Ils étaient le nombre, ils étaient la force, ils étaient la peur. De là l'audace des turpitudes.

De là le mai, le germinal, le thermidor; tragédies nouées par les géants et dénouées par les nains.

À ces hommes pleins de passions étaient mêlés les hommes pleins de songes. L'utopie était là sous toutes ses formes, sous sa forme belliqueuse qui admettait l'échafaud, et sous sa forme innocente qui abolissait la peine de mort; spectre du côté des trônes, ange du côté des peuples. En regard des esprits qui combattaient, il y avait les esprits qui couvaient. Les uns avaient dans la tête la guerre, les autres la paix; un cerveau, Carnot, enfantait quatorze armées; un autre cerveau, Jean Debry, méditait une fédération démocratique universelle. Parmi ces éloquences furieuses, parmi ces voix hurlantes et grondantes, il y avait des silences féconds. Lakanal se taisait, et combinait dans sa pensée l'éducation publique nationale; Lanthenas se taisait, et créait les écoles primaires; La RevellièreLepeaux se taisait, et rêvait l'élévation de la philosophie à la dignité de religion. D'autres s'occupaient de questions de détail, plus petites et plus pratiques Guyton de Morveau étudiait l'assainissement des hôpitaux, Maire l'abolition des servitudes réelles, JeanBonSaintAndré la suppression de la prison pour dettes et de la contrainte par corps, Romme la proposition de Chappe, Duboë la mise en ordre des archives, CorenFustier la création du cabinet d'anatomie et du muséum d'histoire naturelle, Guyomard la navigation fluviale et le barrage de l'Escaut. L'art avait ses fanatiques et même ses monomanes; le janvier, pendant que la tête de la monarchie tombait sur la place de la Révolution, Bézard, représentant de l'Oise, allait voir un tableau de Rubens trouvé dans un galetas de la rue SaintLazare. Artistes, orateurs, prophètes, hommescolosses comme Danton, hommesenfants, comme Cloots, gladiateurs et philosophes,tous allaient au même but, le progrès. Rien ne les déconcertait. La grandeur de la Convention fut de chercher la quantité de réel qui est dans ce que les hommes appellent l'impossible. A l'une de ses extrémités, Robespierre avait l'il fixé sur le droit; à l'autre extrémité, Condorcet avait l'il fixé sur le devoir.

Condorcet était un homme de rêverie et de clarté; Robespierre était un homme d'exécution; et quelquefois, dans les crises finales des sociétés vieillies, exécution signifie extermination. Les révolutions ont deux versants, montée et descente, et portent étagées sur ces versants toutes les saisons, depuis la glace jusqu'aux fleurs. Chaque zone de ces versants produit les hommes qui conviennent à son climat, depuis ceux qui vivent dans le soleil jusqu'à ceux qui vivent dans la foudre.

On se montrait le repli du couloir de gauche où Robespierre avait dit bas à l'oreille de Garat, l'ami de Clavière, ce mot redoutable: Clavière a conspiré partout où il a respiré. Dans ce même recoin, commode aux apartés et aux colères à demivoix, Fabre d'Eglantine avait querellé Romme et lui avait reproché de défigurer son calendrier par le changement de Fervidor en Thermidor. On se montrait l'angle où siégeaient, se touchant le coude, les sept représentants de la HauteGaronne qui, appelés les premiers à prononcer leur verdict sur Louis XVI, avaient ainsi répondu l'un après l'autre: Mailhe: la mort.Delmas: la mort.Projean: la mort.Calès: la mort:Ayral: la mort.Julien: la mort.Desasey: la mort. Éternelle répercussion qui emplit toute l'histoire, et qui, depuis que la justice humaine existe, a toujours mis l'écho du sépulcre sur le mur du tribunal. On désignait du doigt, dans la tumultueuse mêlée des visages, tous ces hommes d'où était sorti le brouhaha des votes tragiques; Paganel, qui avait dit: La mort. Un roi n'est utile que par sa mort; Millaud, qui avait dit: Aujourd'hui, si la mort n'existait pas, il faudrait L'inventer; le vieux Raffron du Trouillet, qui avait dit: La mort Vite! Goupilleau, qui avait crié: L'échafaud tout de suite. La lenteur aggrave la mort; Sieyès, qui avait eu cette concision funèbre: La mort; Thuriot, qui avait rejeté l'appel au peuple proposé par Buzot: Quoi! les assemblées primaires! quoi! quarante mille tribunaux! Procès sans terme. La tête de Louis XVI aurait le temps de blanchir avant de tomber; AugustinBon Robespierre, qui, après son frère, s'était écrié: Je ne connais point l'humanité qui égorge les peuples et qui pardonne aux despotes. La mort! Demander un sursis, c'est substituer à l'appel au peuple un appel aux tyrans; Foussedoire, le remplaçant de Bernardin de SaintPierre, qui avait dit: J'ai en horreur l'effusion du sang humain, mais le sang d'un roi n'est pas le sang d'un homme. La Mort; JeanBonSaintAndré, qui avait dit: Pas de peuple libre sans le tyran mort; Lavicomterie, qui avait proclamé cette formule: Tant que le tyran respire, la liberté étouffe. La mort; ChateauneufRandon, qui avait jeté ce cri: La mort de Louis le Dernier! Guyardin, qui avait émis ce vu: Qu'on l'exécute Barrière Renversée! la Barrière Renversée c'était la barrière du Trône; Tellier, qui avait dit: Qu'on forge, pour tirer contre l'ennemi, un canon du calibre de la tête de Louis XVI. Et les indulgents: Gentil, qui avait dit: Je vote la réclusion. Faire un Charles Ier, c'est faire un Cromwell; Bancal, qui avait dit: L'exil. Je veux voir le premier roi de l'univers condamné à faire un métier pour gagner sa vie; Albouys, qui avait dit: Le bannissement. Que ce spectre vivant aille errer autour des trônes; Zangiacomi, qui avait dit: La détention. Gardons Capet vivant comme épouvantail; Chaillon, qui avait dit: Qu'il vive. Je ne veux pas faire un mort dont Rome fera un saint. Pendant que ces sentences tombaient de ces lèvres sévères et, l'une après l'autre, se dispersaient dans l'histoire, dans les tribunes des femmes décolletées et parées comptaient les voix, une liste à la main, et piquaient des épingles sous chaque vote.

Où est entrée la tragédie, l'horreur et la pitié restent.

Voir la Convention, à quelque époque de son règne que ce fût, c'était revoir le jugement du dernier Capet; la légende du janvier semblait mêlée à tous ses actes; la redoutable assemblée était pleine de ces haleines fatales qui avaient passé sur le vieux flambeau monarchique allumé depuis dixhuit siècles, et l'avaient éteint; le décisif procès de tous les rois dans un roi était comme le point de départ de la grande guerre qu'elle faisait au passé; quelle que fût la séance de la Convention à laquelle on assistât, on voyait s'y projeter l'ombre portée de l'échafaud de Louis XVI; les spectateurs se racontaient les uns aux autres la démission de Kersaint, la démission de Roland, Duchâtel le député des

DeuxSèvres, qui se fit apporter malade sur son lit, et, mourant, vota la vie, ce qui fit rire Marat; et l'on cherchait des yeux le représentant, oublié par l'histoire aujourd'hui, qui, après cette séance de trentesept heures, tombé de lassitude et de sommeil sur son banc, et réveillé par l'huissier quand ce fut son tour de voter, entr'ouvrit les yeux, dit: La Mort! et se rendormit.

Au moment où ils condamnèrent à mort Louis XVI, Robespierre avait encore dixhuit mois à vivre, Danton quinze mois, Vergniaud neuf mois, Marat cinq mois et trois semaines, LepelletierSaintFargeau un jour. Court et terrible souffle des bouches humaines!

Le peuple avait sur la Convention une fenêtre ouverte, les tribunes publiques, et, quand la fenêtre ne suffisait pas, il ouvrait la porte, et la rue entrait dans l'assemblée. Ces invasions de la foule dans ce sénat sont une des plus surprenantes visions de l'histoire. Habituellement, ces irruptions étaient cordiales. Le carrefour fraternisait avec la chaise curule. Mais c'est une cordialité redoutable que celle d'un peuple qui, un jour, en trois heures, avait pris les canons des Invalides et quarante mille fusils. A chaque instant, un défilé interrompait la séance; c'étaient des députations admises à la barre, des pétitions, des hommages, des offrandes. La pique d'honneur du faubourg SaintAutoine entrait, portée par des femmes. Des anglais offraient vingt mille souliers aux pieds nus de nos soldats. «Le citoyen Arnoux, disait le Moniteur, curé d'Aubignan, commandant du bataillon de la Drôme, demande à marcher aux frontières, et que sa cure lui soit conservée.» Les délégués des sections arrivaient apportant sur des brancards des plats, des patènes, des calices, des ostensoirs, des monceaux d'or, d'argent et de vermeil, offerts à la patrie par cette multitude en haillons, et demandaient pour récompense la permission de danser la carmagnole devant la Convention. Chenard, Narbonne et Vallière venaient chanter des couplets en l'honneur de la Montagne. La section du MontBlanc apportait le buste de Lepelletier, et une femme posait un bonnet rouge sur la tête du président qui l'embrassait; «les citoyennes de la section du Mail» jetaient des fleurs «aux législateurs»; les «élèves de la patrie» venaient, musique en tête, remercier la Convention d'avoir «préparé la prospérité du siècle»; les femmes de la section des GardesFrançaises offraient des roses; les femmes de la section des ChampsÉlysées offraient une couronne de chêne; les femmes de la section du Temple venaient à la barre jurer de ne s'unir qu'à de vrais Républicains; la section de Molière présentait une médaille de Franklin qu'on suspendait, par décret, à la couronne de la statue de la Liberté; les enfantstrouvés, déclarés enfants de la république, défilaient, revêtus de l'uniforme national; les jeunes filles de la section de Quatrevingtdouze arrivaient en longues robes blanches, et le lendemain le Moniteur contenait cette ligne: «Le président reçoit un bouquet des mains innocentes d'une jeune beauté.» Les orateurs saluaient les foules; parfois ils les flattaient; ils disaient à la multitude:Tu es infaillible, tu es irréprochable, tu es sublime;le peuple a un côté enfant, il aime ces sucreries. Quelquefois l'émeute traversait l'assemblée, y entrait furieuse et sortait apaisée comme le Rhône qui traverse le lac Léman, et qui est de fange en y entrant et d'azur en en sortant.

Parfois c'était moins pacifique, et Henriot faisait apporter devant la porte des Tuileries des grils à rougir les boulets.

En même temps qu'elle dégageait de la révolution, cette assemblée produisait de la civilisation. Fournaise, mais forge. Dans cette cuve où bouillonnait la terreur, le progrès fermentait. De ce chaos d'ombre et de cette tumultueuse fuite de nuages, sortaient d'immenses rayons de lumière parallèles aux lois éternelles. Rayons restés sur l'horizon, visibles à jamais dans le ciel des peuples, et qui sont l'un la justice, l'autre la tolérance, l'autre la bonté, l'autre la raison, l'autre la vérité, l'autre l'amour. La Convention promulguait ce grand axiome: La liberté du citoyen finit où la liberté d'un autre citoyen commence; ce qui résume en deux lignes toute la sociabilité humaine. Elle déclarait l'indigence sacrée; elle déclarait l'infirmité sacrée dans l'aveugle et dans le sourdmuet devenus pupilles de l'état, la maternité sacrée dans la fillemère qu'elle consolait et relevait, l'enfance sacrée dans l'orphelin qu'elle faisait adopter par la patrie, l'innocence sacrée dans l'accusé acquitté qu'elle indemnisait. Elle flétrissait la traite des noirs, elle abolissait l'esclavage. Elle proclamait la solidarité civique. Elle décrétait l'instruction gratuite. Elle organisait l'éducation nationale par l'école normale à Paris, l'école centrale au cheflieu, et l'école primaire dans la commune. Elle créait les conservatoires et les musées. Elle décrétait l'unité de code, l'unité de poids et de mesures, et l'unité de calcul par le système décimal. Elle fondait les finances de la France, et à la longue banqueroute monarchique elle faisait succéder le crédit public. Elle donnait à la circulation le télégraphe, à la vieillesse les hospices dotés, à la maladie les hôpitaux purifiés, à l'enseignement l'école polytechnique, à la science le bureau des longitudes, à l'esprit humain l'institut. En même temps que nationale, elle était cosmopolite. Des onze mille deux cent dix décrets qui sont sortis de la Convention, un tiers a un but politique, les deux tiers ont un but humain. Elle déclarait la morale universelle base de la société et la conscience universelle base de la loi. Et tout cela, servitude abolie, fraternité proclamée, humanité protégée, conscience humaine rectifiée, loi du travail transformée en droit et d'onéreuse devenue secourable, richesse nationale consolidée, enfance éclairée et assistée, lettres et sciences propagées, lumière allumée sur tous les sommets, aide à toutes les misères, promulgation de tous les principes, la Convention le faisait, ayant dans les entrailles cette hydre, la Vendée, et sur les épaules ce tas de tigres, les rois.

Lieu immense. Tous les types humains, inhumains et surhumains étaient là. Amas épique d'antagonismes. Guillotin évitant David, Bazire insultant Chabot, Guadet raillant SaintJust, Vergniaud dédaignant Danton, Louvet attaquant Robespierre, Buzot dénonçant Egalité, Chambon flétrissant Pache, tous exécrant Marat. Et que de noms encore il faudrait enregistrer! Arnonville dit BonnetRouge, parce qu'il ne siégeait qu'en bonnet phrygien, ami de Robespierre, et voulant «après Louis XVI, guillotiner Robespierre» par goût de l'équilibre; Massieu, collègue et ménechme de ce bon Lamourette, évêque fait pour laisser son nom à un baiser: Lehardy du Morbihan stigmatisant les prêtres de Bretagne; Barère, l'homme des majorités, qui présidait quand Louis XVI parut à la barre, et qui était à Paméla ce que Louvet était à Lodoïska; l'oratorien Daunou qui disait: Gagnons du temps; DuboisCrancé, à l'oreille de qui se penchait Marat; le marquis de Chateauneuf, Laclos, Hérault de Séchelles qui reculait devant Henriot criant: Canonniers, à vos pièces! Julien, qui comparait la Montagne aux Thermopyles; Gamon, qui voulait une tribune publique réservée uniquement aux femmes; Laloy qui décerna les honneurs de la séance à l'évêque Gobel venant à la Convention déposer la mitre et coiffer le bonnet rouge; Lecomte, qui s'écriait: C'est donc à qui se déprêtrisera! Féraud, dont Boissyd'Anglas saluera la tête, laissant. à l'histoire cette question:Boissyd'Anglas atil salué la tête, c'estàdire la victime, ou la pique, c'estàdire les assassins? Les deux frères Duprat, l'un montagnard, l'autre girondin, qui se haïssaient comme les deux frères Chénier.

Il s'est dit à cette tribune de ces vertigineuses paroles qui ont quelquefois à l'insu même de celui qui les prononce, l'accent fatidique des révolutions, et à la suite desquelles les faits matériels paraissent avoir brusquement on ne sait quoi de mécontent et de passionné, comme s'ils avaient mal pris les choses qu'on vient d'entendre. Ce qui se passe semble courroucé de ce qui se dit; les catastrophes surviennent furieuses et comme exaspérées par les paroles des hommes. Ainsi une voix dans la montagne suffit pour détacher l'avalanche. Un mot de trop peut être suivi d'un écroulement. Si l'on n'avait pas parlé, cela ne serait pas arrivé. On dirait parfois que les évènements sont irascibles.

C'est de cette façon, c'est par le hasard d'un mot d'orateur mal compris qu'est tombée la tête de madame Elisabeth.

A la Convention, l'intempérance de langage était de droit.

Les menaces volaient et se croisaient dans la discussion comme les flammèches dans l'incendie.PETION: Robespierre, venez au fait. ROBESPIERRE: Le fait, c'est vous, Pétion, J'y viendrai, et vous le verrez.UNE VOIX: Mort à Marat!MARAT: Le jour où Marat mourra, il n'y aura plus de Paris, et le jour où Paris périra, il n'y aura plus de république.BillaudVarenne se lève et dit: Nous voulons...Barère l'interrompt: Tu parles comme un roi.Un autre jour, PHILIPPEAUX: Un membre a tiré l'épée contre moi.AUDOIN: Président, rappelez à l'ordre l'assassin. Le Président: Attendez.PANIS: Président, je vous rappelle à l'ordre moi.On riait aussi, rudement.LECOINTRE: Le curé de ChantdeBout se plaint de Fauchet son évêque, qui lui défend de se marier. UNE VOIX: Je ne vois pas pourquoi Fauchet, qui a des maîtresses, veut empêcher les autres d'avoir des épouses.UNE AUTRE VOIX: Prêtre, prends femme!Les tribunes se mêlaient à la conversation. Elles tutoyaient l'assemblée. Un jour le représentant Ruamps monte à la tribune. Il avait une «hanche» beaucoup plus grosse que l'autre. Un des spectateurs lui cria: Tourne ça du côté de la droite, puisque tu as une «joue» à la David! Telles étaient les libertés que le peuple prenait avec la Convention. Une fois pourtant, dans le tumulte du avril , le président fit arrêter un interrupteur des tribunes.

Un jour, cette séance a eu pour témoin le vieux Buonarotti, Robespierre prend la parole et parle deux heures. Regardant Danton tantôt fixement, ce qui était grave, tantôt obliquement, ce qui était pire. Il foudroie à bout portant. Il termine par une explosion indignée, pleine de mots funèbres: On connaît les intrigants, on connaît les corrupteurs et les corrompus, on connaît les traîtres; ils sont dans cette assemblée. Ils nous entendent, nous les voyons et nous ne les quittons pas des yeux. Qu'ils regardent audessus de leur tête, et ils y verront le glaive de la loi. Qu'ils regardent dans leur conscience, et ils y verront leur infamie. Qu'ils prennent garde à eux.Et, quand Robespierre a fini, Danton, la face au plafond, les yeux à demi fermés, un bras pendant pardessus le dossier de son banc, se renverse en arrière, et on l'entend fredonner:

Cadet Roussel fait des discours
Qui ne sont pas longs quand ils sont courts.
Les imprécations se donnaient la réplique.Conspirateur!Assassin! Scélérat!Factieux!Modéré!On se dénonçait au buste de Brutus qui était là. Apostrophes, injures, défis. Regards furieux d'un côté à l'autre. Poings montrés, pistolets entrevus, poignards à demi tirés. Enorme flamboiement de la tribune. Quelquesuns parlaient comme s'ils étaient adossés à la guillotine. Les têtes ondulaient, épouvantées et terribles. Montagnards, girondins, feuillants, modérantistes, terroristes, jacobins, cordeliers; dixhuit prêtres régicides.

Tous ces hommes! tas de fumées poussées dans tous les sens.

Esprits en proie au vent.

Mais ce vent était un vent de prodige.

Etre un membre de la Convention, c'était être une vague de l'océan. Et ceci était vrai des plus grands. La force d'impulsion venait d'en haut. Il y avait dans la Convention une volonté qui était celle de tous et n'était celle de personne. Cette volonté était une idée, idée indomptable et démesurée qui soufflait dans l'ombre du haut du ciel. Nous appelons cela la Révolution. Quand cette idée passait, elle abattait l'un et soulevait l'autre; elle emportait celuici en écume et brisait celuilà aux écueils. Cette idée savait où elle allait, et poussait le gouffre devant elle. Imputer la révolution aux hommes, c'est imputer la marée aux flots.

La révolution est une action de l'Inconnu. Appelezla bonne action ou mauvaise action, selon que vous aspirez à l'avenir ou au passé, mais laissezla à celui qui l'a faite. Elle semble l'uvre en commun des grands évènements et des grands individus mêlés, mais elle est en réalité la résultante des évènements. Les évènements dépensent, les hommes payent. Les évènements dictent, les hommes signent. Le juillet est signé Camille Desmoulins, le août est signé Danton, le septembre est signé Marat, le septembre est signé Grégoire, le janvier est signé Robespierre; mais Desmoulins, Danton, Marat, Grégoire et Robespierre ne sont que des greffiers. Le rédacteur énorme et sinistre de ces grandes pages a un nom, Dieu, et un masque, Destin. Robespierre croyait en Dieu. Certes!

La révolution est une forme du phénomène immanent qui nous presse de toutes parts et que nous appelons la Nécessité.

Devant cette mystérieuse complication de bienfaits et de souffrances se dresse le Pourquoi? de l'histoire.

Parce que. Cette réponse de celui qui ne sait rien est aussi la réponse de celui qui sait tout.

En présence de ces catastrophes climatériques qui dévastent et vivifient la civilisation, on hésite à juger le détail. Blâmer ou louer les hommes à cause du résultat, c'est presque comme si on louait ou blâmait les chiffres à cause du total. Ce qui doit passer passe, ce qui doit souffler souffle. La sérénité éternelle ne souffre pas de ces aquilons. Audessus des révolutions la vérité et la justice demeurent comme le ciel étoilé audessus des tempêtes.

Telle était cette Convention démesurée; camp retranché du genre humain attaqué par toutes les ténèbres à la fois, feux nocturnes d'une armée d'idées assiégées, immense bivouac d'esprits sur un versant d'abîme. Rien dans l'histoire n'est comparable à ce groupe, à la fois sénat et populace, conclave et carrefour, aéropage et place publique, tribunal et accusé.

La Convention a toujours ployé au vent: mais ce vent sortait de la bouche du peuple et était le souffle de Dieu.

Et aujourd'hui, après quatrevingts ans écoulés, chaque fois que devant la pensée d'un homme, quel qu'il soit, historien ou philosophe, la Convention apparaît, cet homme s'arrête et médite. Impossible de ne pas être attentif à ce grand passage d'ombres.

II.

MARAT DANS LA COULISSE

Comme il l'avait annoncé à Simonne Evrard, Marat, le lendemain de la rencontre de la rue du Paon, alla à la Convention.

Il y avait à la Convention un marquis maratiste, Louis de Montaut, celui qui plus tard offrit à la Convention une pendule décimale surmontée du buste de Marat.

Au moment où Marat entrait, Chabot venait de s'approcher de Montaut.

Cidevant..., ditil.

Montaut leva les yeux.

Pourquoi m'appellestu cidevant?

Parce que tu l'es.

Moi?

Puisque tu étais marquis.

Jamais.

Bah!

Mon père était soldat, mon grandpère était tisserand.

Qu'estce que tu nous chantes là, Montaut?

Je ne m'appelle pas Montaut.

Comment donc t'appellestu?

Je m'appelle Maribon.

Au fait, dit Chabot, cela m'est égal.

Et il ajouta entre ses dents:

C'est à qui ne sera pas marquis.

Marat s'était arrêté dans le couloir de gauche et regardait Montaut et
Chabot.
Toutes les fois que Marat entrait, il y avait une rumeur; mais loin de lui. Autour de lui on
se taisait. Marat n'y prenait pas garde. Il dédaignait le «coassement du marais».

Dans la pénombre des bancs obscurs d'en bas. Coupé de l'Oise, Prunelle,
Villars, évêque, qui plus tard fut membre de l'Académie française,
Boutroue, Petit, Plaichard, Bonet, Thibaudeau, Valdruche, se le montraient
du doigt.
Tiens! Marat!

Il n'est donc pas malade?

Si, puisqu'il est en robe de chambre.

En robe de chambre?

Pardieu oui!

Il se permet tout!

Il ose venir ainsi à la Convention!

Puisqu'un jour il y est venu coiffé de lauriers, il peut bien y venir en robe de chambre!

Face de cuivre et dents de vertdegris.

Sa robe de chambre paraît neuve.

En quoi estelle?

En reps.

Rayé.

Regardez donc les revers.

Ils sont en peau.

De tigre.

Non, d'hermine.

Fausse.

Et il a des bas!

C'est étrange.

Et des souliers à boucles.

D'argent!

Voilà ce que les sabots de Camboulas ne lui pardonneront pas.

Sur d'autres bancs on affectait de ne pas voir Marat. On causait d'autre chose. Santhonax abordait Dussaulx.

Vous savez, Dussaulx?

Quoi?

Le cidevant comte de Brienne?

Qui était à la Force avec le cidevant duc de Villeroy?

Oui.

Je les ai connus tous les deux. Eh bien?

Ils avaient si grand'peur qu'ils saluaient tous les bonnets rouges de tous les guichetiers, et qu'un jour ils ont refusé de jouer une partie de piquet parce qu'on leur présentait un jeu de cartes à rois et à reines.

Eh bien?

On les a guillotinés hier.

Tous les deux?

Tous les deux.

En somme, comment avaientils été dans la prison?

Lâches.

Et comment ontils été sur l'échafaud?

Intrépides.

Et Dussaulx jetait cette exclamation:

Mourir est plus facile que vivre.

Barère était en train de lire un rapport: il s'agissait de la Vendée. Neuf cents hommes du Morbihan étaient partis avec du canon pour secourir Nantes. Redon était menacé par les paysans. Paimboeuf était attaqué. Une station navale croisait à Maindrin pour empêcher les descentes. Depuis Ingrande jusqu'à Maure, toute la rive gauche de la Loire était hérissée de batteries royalistes. Trois mille paysans étaient maîtres de Pornic. Ils criaient Vivent les Anglais! Une lettre de Santerre à la Convention, que Barère lisait, se terminait ainsi: «Sept mille paysans ont attaqué Vannes. Nous les avons repoussés, et ils ont laissé dans nos mains quatre canons...»

Et combien de prisonniers? interrompit une voix.

Barère continua...Postscriptum de la lettre: «Nous n'avons pas de prisonniers, parce que nous n'en faisons plus.»

Footnote : Moniteur,

Marat toujours immobile n'écoutait pas, il était comme absorbé par une préoccupation sévère.

Il tenait dans sa main et froissait entre ses doigts un papier sur lequel quelqu'un qui l'eût déplié eût pu lire ces lignes, qui étaient de l'écriture de Momoro et qui étaient probablement une réponse à une question posée par Marat:

«Il n'y a rien à faire contre l'omnipotence des commissaires délégués, surtout contre les délégués du Comité de salut public. Génissieux a eu beau dire dans la séance du mai: «Chaque commissaire est plus qu'un Roi», cela n'y fait rien. Ils ont pouvoir de vie et de mort. Massade à Angers, Trullard à SaintAmand, Nyon près du général Marcé, Parrein à l'armée des Sables, Millier à l'armée de Niort, sont toutpuissants. Le club des Jacobins a été jusqu'à nommer Parrein général de brigade. Les circonstances absolvent tout. Un délégué du Comité de salut public tient en échec un général en chef.»

Marat acheva de froisser le papier, le mit dans sa poche, et s'avança lentement vers Montaut et Chabot qui continuaient à causer et qui ne l'avaient pas vu entrer.

Chabot disait:

Maribon ou Montaut, écoute ceci: je sors du comité de salut public.

Et qu'y faiton?

On y donne un noble à garder à un prêtre.

Ah!

Un noble comme toi...

Je ne suis pas noble, dit Montaut.

A un prêtre...

Comme toi.

Je ne suis pas prêtre, dit Chabot.

Tous deux se mirent à rire.

Précise l'anecdote, repartit Montaut.

Voici ce que c'est. Un prêtre appelé Cimourdain est délégué avec pleins pouvoirs près d'un vicomte nommé Gauvain; ce vicomte commande la colonne expéditionnaire de l'armée des Côtes. Il s'agit d'empêcher le noble de tricher et le prêtre de trahir.

C'est bien simple, répondit Montaut. Il n'y a qu'à mettre la mort dans l'aventure.

Je viens pour cela, dit Marat.

Ils levèrent la tête.

Bonjour, Marat, dit Chabot, tu assistes rarement à nos séances.

Mon médecin me commande les bains, répondit Marat.

Il faut se défier des bains, reprit Chabot; Sénèque est mort dans un bain.

Marat sourit:

Chabot, il n'y a pas ici de Néron.

Il y a toi, dit une voix rude.

C'était Danton qui passait et qui montait à son banc.

Marat ne se retourna pas.

Il pencha sa tête entre les deux visages de Montaut et de Chabot.

Ecoutez. Je viens pour une chose sérieuse. Il faut qu'un de nous trois propose aujourd'hui un projet de décret à la Convention.

Pas moi, dit Montaut; on ne m'écoute pas, je suis marquis.

Moi, dit Chabot, on ne m'écoute pas, je suis capucin.

Et moi, dit Marat, on ne m'écoute pas, je suis Marat.

Il y eut entre eux un silence.

Marat préoccupé n'était pas aisé à interroger. Montaut pourtant hasarda une question.

Marat, quel est le décret que tu désires?

Un décret qui punisse de mort tout chef militaire qui fait évader un rebelle prisonnier.

Chabot intervint.

Ce décret existe. On a voté cela fin avril.

Alors c'est comme s'il n'existait pas, dit Marat. Partout, dans toute la

Vendée, c'est à qui fera évader les prisonniers, et l'asile est impuni.

Marat, c'est que le décret est en désuétude.

Chabot, il faut le remettre en vigueur.

Sans doute.

Et pour cela parler à la Convention.

Marat, la Convention n'est pas nécessaire; le comité de salut public suffit.

Le but est atteint, ajouta Montaut, si le comité de salut public fait placarder le décret dans toutes les communes de la Vendée, et fait deux ou trois bons exemples.

Sur les grandes têtes, reprit Chabot. Sur les généraux.

Marat grommela:En effet, cela suffira.

Marat, repartit Chabot, va toimême dire cela au comité de salut public.

Marat le regarda entre les deux yeux, ce qui n'était pas agréable, même pour Chabot.

Chabot, ditil, le comité de salut public, c'est chez Robespierre. Je ne vais pas chez Robespierre.

J'irai, moi, dit Montaut.

Bien, dit Marat.

Le lendemain était expédié dans toutes les directions un ordre du comité de salut public enjoignant d'afficher dans les villes et villages de Vendée et de faire exécuter strictement le décret portant peine de mort contre toute connivence dans les évasions de brigands et d'insurgés prisonniers.

Ce décret n'était qu'un premier pas. La Convention devait aller plus loin encore. Quelques mois après, le brumaire au novembre , à propos de Laval qui avait ouvert ses portes aux Vendéens fugitifs, elle décréta que toute ville qui donnerait asile aux rebelles serait démolie et détruite.

De leur côté, les princes de l'Europe, dans le manifeste du duc de Brunswick, inspiré par les émigrés et rédigé par le marquis de Linnon, intendant du duc d'Orléans, avaient déclaré que tout français pris les armes à la main serait fusillé, et que, si un cheveu tombait de la tête du roi, Paris serait rasé.

Sauvagerie contre barbarie.

III.

LES FORÊTS

Il y avait alors en Bretagne sept forêts horribles. La Vendée, c'est la révolteprêtre. Cette révolte a eu pour auxiliaire la forêt. Les ténèbres s'entr'aident.

Les sept forêtsNoires de Bretagne étaient la forêt de Fougères qui barre le passage entre Dol et Avranches; la forêt de Princé qui a huit lieues de tour; la forêt de Paimpont, pleine de ravines et de ruisseaux, presque inaccessible du côté de Baignon, avec une retraite facile sur Concornet qui était un bourg royaliste; la forêt de Rennes d'où l'on entendait le tocsin des paroisses républicaines, toujours nombreuses près des villes; c'est là que Puysaye perdit Focard; la forêt de Machecoul qui avait Charette pour bête fauve; la forêt de la Garnache qui était aux La Trémoille, aux Gauvain et aux Rohan; la forêt de Brocéliande qui était aux fées.

Un gentilhomme en Bretagne avait le titre de seigneur des SeptForêts.
C'était le vicomte de Fontenay, prince breton.
Car le prince breton existait, distinct du prince français. Les Rohan étaient princes bretons. Garnier de Saintes, dans son rapport à la Convention, nivôse an II, qualifie ainsi le prince de Talmont: «Ce Capet des brigands, souverain du Maine et de la Normandie.»

L'histoire des forêts bretonnes, de à pourrait être faite à part, et elle se mêlerait de la vaste aventure de la Vendée comme une légende.

L'histoire a sa vérité, la légende a la sienne. La vérité légendaire est d'une autre nature que la vérité historique. La vérité légendaire, c'est l'invention ayant pour résultat la réalité. Du reste, l'histoire et la légende ont le même but, peindre sous l'homme momentané l'homme éternel.

La Vendée ne peut être complètement expliquée que si la légende complète l'histoire; il faut l'histoire pour l'ensemble et la légende pour le détail.

Disons que la Vendée en vaut la peine. La Vendée est un prodige.

Cette Guerre des Ignorants, si stupide et si splendide, abominable et magnifique, a désolé et enorgueilli la France. La Vendée est une plaie qui est une gloire.

A de certaines heures la société humaine a ses énigmes, énigmes qui pour les sages se résolvent en lumière et pour les ignorants en obscurité, en violence et en barbarie. Le philosophe hésite à accuser. Il tient compte du trouble que produisent les problèmes. Les problèmes ne passent point sans jeter audessous d'eux une ombre comme les nuages.

Si l'on veut comprendre la Vendée, qu'on se figure cet antagonisme, d'un côté la révolution française, de l'autre le paysan breton. En face de ces évènements incomparables, menace immense de tous les bienfaits à la fois, accès de colère de la civilisation, excès du progrès furieux, amélioration démesurée et inintelligible, qu'on place ce sauvage grave et singulier, cet homme à l'il clair et aux longs cheveux, vivant de lait et de châtaignes, borné à son toit de chaume, à sa haie et à son fossé, distinguant chaque hameau du voisinage au son de la cloche, ne se servant de l'eau que pour boire, ayant sur le dos une veste de cuir avec des arabesques de soie, inculte et brodé, tatouant ses habits, comme ses ancêtres les celtes avaient tatoué leurs visages, respectant son maître dans son bourreau, Parlant une langue morte, ce qui est faire habiter une tombe à sa pensée, piquant ses bufs, aiguisant sa faulx, sarclant son blé noir, pétrissant sa galette de sarrasin, vénérant sa charrue d'abord, sa grand'mère ensuite, croyant à la sainte Vierge et à la Dame blanche, dévot à l'autel et aussi à la haute pierre mystérieuse debout au milieu de la lande, laboureur dans la plaine, pêcheur sur la côte, braconnier dans le hallier, aimant ses rois, ses seigneurs, ses prêtres, ses poux: pensif, immobile souvent des heures entières sur la grande grève déserte, sombre écouteur de la mer.

Et qu'on se demande si cet aveugle pouvait accepter cette clarté.

Le paysan a deux points d'appui: le champ qui le nourrit, le bois qui le cache.

Ce qu'étaient les forêts bretonnes, on se le figurerait difficilement; c'étaient des villes. Rien de plus sourd, de plus muet et de plus sauvage que ces inextricables enchevêtrements d'épines et de branchages, ces vastes broussailles étaient des gîtes d'immobilité et de silence; pas de solitude d'apparence plus morte et plus sépulcrale; si l'on eût pu, subitement et d'un seul coup pareil à l'éclair, couper les arbres, on eût brusquement vu dans cette ombre un fourmillement d'hommes.

Des puits ronds et étroits, masqués au dehors par des le couvercles de pierre et de branches, verticaux, puis horizontaux, s'élargissant sous terre en entonnoir, et aboutissant à des chambres ténébreuses, voilà ce que Cambyse trouva en Egypte et ce que Westermann trouva en Bretagne; là c'était dans le désert, ici c'était dans la forêt; dans les caves d'Egypte il y avait des morts, dans les caves de Bretagne il y avait des vivants. Une des plus sauvages clairières du bois de Misdon, toute perforée de galeries et de cellules où allait et venait un peuple mystérieux, s'appelait «la Grande ville». Une autre clairière non moins déserte en dessus et non moins habitée en dessous, s'appelait «la Place royale».

Cette vie souterraine était immémoriale en Bretagne. De tout temps l'homme y avait été en fuite devant l'homme. De là les tanières de reptiles creusées sous les racines des arbres. Cela datait des druides, et quelquesunes de ces cryptes étaient aussi anciennes que les dolmens. Les larves de la légende et les monstres de l'histoire, tout avait passé sur ce noir pays. Teutatès, César, Noël, Néomène, Geoffroy d'Angleterre, Alaingantdefer, Pierre Mauclair, la maison française de Blois, la maison anglaise de Montfort, les rois et les ducs, les neuf barons de Bretagne, les juges des GrandsJours, les comtes de Nantes querellant les comtes de Rennes, les routiers, les malandrins, les grandes compagnies, René II, vicomte de Rohan, les gouverneurs pour le roi, le «bon duc de Chaulnes» branchant les paysans sous les fenêtres de madame de Sévigné, au quinzième siècle les boucheries seigneuriales, au seizième et au dixseptième siècles les guerres de religion, au dixhuitième siècle les trente mille chiens dressés à chasser aux hommes; sous ce piétinement effroyable le peuple avait pris le parti de disparaître. Tour à tour les troglodytes pour échapper aux celtes, les celtes pour échapper aux romains, les bretons pour échapper aux normands, les huguenots pour échapper aux catholiques, les contrebandiers pour échapper aux gabelous, s'étaient réfugiés d'abord dans les forêts, puis sous la terre. Ressource des bêtes. C'est là que la tyrannie réduit les nations. Depuis deux mille ans, le despotisme sous toutes ses espèces, la conquête, la féodalité, le fanatisme, le fisc, traquaient cette misérable Bretagne éperdue, sorte de battue inexorable qui ne cessait sous une forme que pour recommencer sous l'autre. Les hommes se terraient.

L'épouvante, qui est une sorte de colère, était toute prête dans les âmes, et les tanières étaient toutes prêtes dans les bois, quand la république française éclata. La Bretagne se révolta, se trouvant opprimée par cette délivrance de force. Méprise habituelle aux esclaves.

IV.

CONNIVENCE DES HOMMES ET DES FORÊTS

Les tragiques forêts bretonnes reprirent leur vieux rôle et furent servantes et complices de cette rébellion, comme elles l'avaient été de toutes les autres.

Le soussol de telle forêt était une sorte de madrépore percé et traversé en tous sens par une voirie inconnue de sapes, de cellules et de galeries. Chacune de ces cellules aveugles abritait cinq ou six hommes. La difficulté était d'y respirer. On a de certains chiffres étranges qui font comprendre cette puissante organisation de la vaste émeute paysanne. En IlleetVilaine, dans la forêt du Pertre, asile du de Talmont, on n'entendait pas un souffle, on ne trouvait pas une trace humaine, et il y avait six mille hommes avec Focard; en Morbihan, dans la forêt de Meulac, on ne voyait personne, et il avait huit mille hommes. Ces deux forêts, le Pertre et Meulac, ne comptent pourtant pas parmi les grandes forêts bretonnes. Si l'on marchait làdessus, c'était terrible. Ces halliers hypocrites, pleins de combattants tapis dans une sorte de labyrinthe sousjacent, étaient comme d'énormes éponges obscures d'où, sous la pression de ce pied gigantesque, la révolution, jaillissait la guerre civile.

Des bataillons invisibles guettaient. Ces armées ignorées serpentaient sous les armées républicaines, sortaient de terre tout à coup et y rentraient, bondissaient innombrables et s'évanouissaient, douées d'ubiquité et de dispersion, avalanche puis poussière, colosses ayant le don de rapetissement, géants pour combattre, nains pour disparaître. Des jaguars ayant des murs de taupes.

Il n'y avait pas que les forêts, il y avait les bois. De même qu'audessous des cités il y a les villages, audessous des forêts il y avait les broussailles. Les forêts se reliaient entre elles par le dédale, partout épars, des bois. Les anciens châteaux qui étaient des forteresses, les hameaux qui étaient des camps, les fermes qui étaient des enclos faits d'embûches et de pièges, les métairies, ravinées de fossés et palissadées d'arbres, étaient les mailles de ce filet où se prirent les armées républicaines.

Cet ensemble était ce qu'on appelait le Bocage.

Il y avait le bois de Misdon, au centre duquel était un étang, et qui était à Jean Chouan; il y avait le bois de Gennes qui était à Taillefer; il y avait le bois de la Huisserie qui était à GougeleBruant; le bois de la Charnie qui était à CourtilléleBâtard, dit l'Apôtre saint Paul, chef du camp de la VacheNoire; le bois de Burgault qui était à cet énigmatique Monsieur Jacques, réservé à une fin mystérieuse dans le souterrain de Juvardeil; il y avait le bois de Charreau où Pimousse et PetitPrince, attaqués par la garnison de

Châteauneuf, allaient prendre à braslecorps dans les rangs républicains des grenadiers qu'ils rapportaient prisonniers; le bois de la Heureuserie, témoin de la déroute du poste de LongueFaye; le bois de l'Aulne d'où l'on épiait la route entre Rennes et Laval; le bois de la Gravelle qu'un prince de la Trémoille avait gagné eu jouant à la boule; le bois de Lorges dans les CôtesduNord, où Charles de Boishardy régna après Bernard de Villeneuve; le bois de Bagnard près Foutenay, où Lescure offrit le combat à Chalbos qui, étant un contre cinq, l'accepta; le bois de la Durondais que se disputèrent jadis Alain le Redru et Hérispoux, fils de Charles le Chauve; le bois de Croqueloup, sur la lisière de cette lande où Coquereau tondait les prisonniers; le bois de la CroixBataille qui assista aux insultes homériques de Jambed'Argent à Morière et de Morière à Jambed'Argent; le bois de la Saudraie que nous avons vu fouiller par un bataillon de Paris. Bien d'autres encore.

Dans plusieurs de ces forêts et de ces bois, il n'y avait pas seulement des villages souterrains groupés autour du terrier du chef; mais il y avait encore de véritables hameaux de huttes basses cachés sous les arbres, et si nombreux que parfois la forêt en était remplie. Souvent les fumées les trahissaient. Deux de ces hameaux du bois de Misdon sont restés célèbres, Lorrière, près de Létang, et, du côté de SaintOuenlesToits, le groupe de cabanes appelé la RuedeBau.

Les femmes vivaient dans les huttes et les hommes dans les cryptes. Ils utilisaient pour cette guerre les galeries des fées et les vieilles sapes celtiques. On apportait à manger aux hommes enfouis. Il y en eut qui, oubliés, moururent de faim. C'étaient d'ailleurs des maladroits qui n'avaient pas su rouvrir leurs puits. Habituellement le couvercle fait de mousse et de branches était si artistement façonné, qu'impossible à distinguer du dehors dans l'herbe. Il était très facile à ouvrir et à fermer du dedans. Ces repaires étaient creusés avec soin. On allait jeter à quelque étang voisin la terre qu'on ôtait du puits. La paroi intérieure et le sol étaient tapissés de fougère et de mousse. Ils appelaient ce réduit «la loge». On était bien là, à cela près qu'on était sans jour, sans feu, sans pain et sans air.

Remonter sans précaution parmi les vivants et se déterrer hors de propos était grave. On pouvait se trouver entre les jambes d'une armée en marche. Bois redoutables; pièges à doubles trappes. Les bleus n'osaient entrer, les blancs n'osaient sortir.

Les hommes dans ces caves de bêtes s'ennuyaient. La nuit, quelquefois, à tout risque, ils sortaient et s'en allaient danser sur la lande voisine. Ou bien ils priaient pour tuer le temps. Tout le jour, dit Bourdoiseau, Jean Chouan nous faisait chapeletter.

Il était presque impossible, la saison venue, d'empêcher ceux du BasMaine de sortir pour se rendre à la Fête de la Gerbe. Quelquesuns avaient des idées à eux. Denys, dit TrancheMontagne, se déguisait en femme pour aller à la comédie à Laval; puis il rentrait dans son trou.

Brusquement ils allaient se faire tuer, quittant le cachot pour le sépulcre.

Quelquefois ils soulevaient le couvercle de leur fosse, et ils écoutaient si l'on se battait au loin; ils suivaient de l'oreille le combat. Le feu des républicains était régulier, le feu des royalistes était éparpillé; ceci les guidait. Si les feux de peloton cessaient subitement, c'était signe que les royalistes avaient le dessous; si les feux saccadés continuaient et s'enfonçaient à l'horizon, c'était signe qu'ils avaient le dessus. Les blancs poursuivaient toujours: les bleus jamais, ayant le pays contre eux.

Ces belligérants souterrains étaient admirablement renseignés. Bien de plus rapide que leurs communications, rien de plus mystérieux. Ils avaient rompu tous les ponts, ils avaient démonté toutes les charrettes, et ils trouvaient moyen de tout se dire et de s'avertir de tout. Des relais d'émissaires étaient établis de forêt à forêt, de village à village, de ferme à ferme, de chaumière à chaumière, de buisson à buisson.

Tel paysan qui avait l'air stupide passait portant des dépêches dans son bâton, qui était creux.

Un ancien constituant, Boétidoux, leur fournissait, pour aller et venir d'un bout à l'autre de la Bretagne, des passeports républicains nouveau modèle, avec les noms en blanc, dont ce traître avait des liasses. Il était impossible de les surprendre. Des secrets livres, dit Puysaye à plus de quatre cent mille individus ont été religieusement gardés.

Il semblait, que ce quadrilatère fermé au sud par la ligne des Sables à Thouars, à l'est par la ligne de Thouars à Saumur et par la rivière de Thoué, au nord par la Loire et à l'ouest par l'Océan, eût un même appareil nerveux, et qu'un point de ce sol ne pût tressaillir sans que tout s'ébranlât. En un clin d'oeil on était informé de Noirmoutier à Luçon, et le camp de la Loué savait ce que faisait le camp de la CroixMorineau. Ou eût dit que les oiseaux s'en mêlaient. Hoche écrivait, messidor, an III: On croirait qu'ils ont des télégraphes.

C'étaient des clans, comme eu Ecosse. Chaque paroisse avait son capitaine.
Cette guerre, mon père l'a faite, et j'en puis parler.

V.

LEUR VIE EN GUERRE

Beaucoup n'avaient que des piques. Les bonnes carabines de chasse abondaient. Pas de plus adroits tireurs que les braconniers du Bocage et les contrebandiers du Loroux.

C'étaient des combattants étranges, affreux et intrépides. Le décret de la levée de trois cent mille hommes avait fait sonner le tocsin dans six cents villages. Le pétillement de l'incendie éclata sur tous les points à la fois. Le Poitou et l'Anjou firent explosion le même jour. Disons qu'un premier grondement s'était fait entendre dès , le juillet, un mois avant le août, sur la lande de Kerbader. Alain Redeler, aujourd'hui ignoré, fut le précurseur de La Rochejaquelein et de Jean Chouan. Les royalistes forçaient, sous peine de mort, tous les hommes valides à marcher. Ils réquisitionnaient les attelages, les chariots, les vivres. Tout de suite, Sapinaud eut trois mille soldats. Cathelineau dix mille, Stofflet vingt mille, et Charette fut maître de Noirmoutier. Le vicomte de Scépeaux remua le HautAnjou, le chevalier de Dieuzie l'EntreVilaineet Loire, Tristanl'Hermite le BasMaine, le barbier Gaston la ville de Guéménée, et l'abbé Bernier tout le reste. Pour soulever ces multitudes, peu de chose suffisait. On plaçait dans le tabernacle d'un curé assermenté, d'un prêtre jureur, comme ils disaient, un gros chat noir qui sautait brusquement dehors pendant la messeC'est le diable! criaient les paysans, et tout un canton s'insurgeait. Un souffle de feu sortait des confessionnaux. Pour assaillir les bleds et pour franchir les ravins, ils avaient leur long bâton de quinze pieds de long, la ferte, arme de combat et de fuite. Au plus fort des mêlées, quand les paysans attaquaient les carrés républicains, s'ils rencontraient sur le champ de combat une croix ou une chapelle, tous tombaient, à genoux et disaient leur prière sous la mitraille; le rosaire fini, ceux qui restaient se relevaient et se ruaient sur l'ennemi. Quels géants, hélas! Ils chargeaient leur fusil en courant; c'était leur talent. On leur faisait accroire ce qu'on voulait: les prêtres leur montraient d'autres prêtres dont ils avaient rougi le cou avec une ficelle serrée, et leur disaient: Ce sont des guillotinés ressuscités. Ils avaient leurs accès de chevalerie; ils honorèrent Fresque, un portedrapeau républicain qui s'était fait sabrer sans lâcher son drapeau. Ces paysans raillaient; ils appelaient les prêtres mariés républicains des sanscalottes devenus sansculottes. Ils commencèrent par avoir peur des canons; puis ils se jetèrent dessus avec des bâtons, et ils en prirent. Ils prirent d'abord un beau canon de bronze qu'ils baptisèrent le Missionnaire: puis un autre qui datait des guerres catholiques et où étaient gravées les armes de Richelieu et une figure de la Vierge; ils l'appelèrent MarieJeanne. Quand ils perdirent Fontenay, ils perdirent MarieJeanne, autour de laquelle tombèrent sans broncher six cents paysans; puis ils reprirent Fontenay afin de reprendre MarieJeanne, et ils la ramenèrent sous le drapeau fleurdelysé en la couvrant de fleurs et en la faisant baiser aux femmes qui passaient. Mais deux canons, c'était peu. Stofflet avait pris MarieJeanne; Cathelineau, jaloux, partit de PinenMauge, donna l'assaut à Jallais, et prit un troisième canon; Forest attaqua SaintFlorent et eu prit un quatrième. Deux autres capitaines, Chouppes et SaintPol, firent mieux: ils figurèrent des canons par des troncs d'arbres coupés, et des canonniers par des mannequins, et avec cette artillerie, dont ils riaient vaillamment, ils firent reculer les bleus à Mareuil. C'était là leur grande époque. Plus tard, quand Chalbos mit en déroute La Marsonnière, les paysans laissèrent derrière eux sur le champ de bataille déshonoré trente deux canons aux armes d'Angleterre. L'Angleterre alors payait les princes français, et l'on envoyait «des fonds à monseigneur, écrivait Nantiat le mai , parce qu'on a dit à M. Pitt que cela était décent». Mélinet, dans un rapport du mars, dit: «Le cri des rebelles est Vivent les Anglais!» Les paysans s'attardaient à piller. Ces dévots étaient des voleurs. Les sauvages ont des vices. C'est par là que les prend plus tard la civilisation. Puysaye dit, tome II, page : «J'ai préservé plusieurs fois le bourg de Pélan du pillage.» Et plus loin, page , il se prive d'entrer à Montfort: «Je fis un circuit pour éviter le pillage des maisons des jacobins.» Ils détroussèrent Chollet; ils mirent à sac Challans. Après avoir manqué Granville, ils pillèrent VilleDieu. Ils appelaient masse jacobine ceux des campagnards qui s'étaient ralliés aux bleus, et ils les exterminaient plus que les autres. Ils aimaient le carnage comme des soldats et le massacre comme des brigands. Fusiller les «patauds», c'est àdire les bourgeois, leur plaisait; ils appelaient cela «se décarêmer». A Fontenay, un de leurs prêtres, le curé Barbotin, abattit un vieillard d'un coup de sabre. A SaintGermainsurIlle, un de leurs capitaines, gentilhomme, tua d'un coup de fusil le procureur de la commune et lui prit sa montre. A Machecoul, ils mirent les républicains en coupe réglée, à trente par jour; cela dura cinq semaines; chaque chaîne de trente s'appelait «le chapelet». On adossait la chaîne à une fosse creusée et l'on fusillait; les fusillés tombaient dans la fosse parfois vivants; on les enterrait tout de même. Nous avons revu ces murs. Joubert, président du district, eut les poings sciés. Ils mettaient aux prisonniers bleus des menottes coupantes, forgées exprès. Ils les assommaient sur les places publiques en sonnant l'hallali. Charette, qui signait: Fraternité; le chevalier Charrette, et qui avait pour coiffure, comme Marat, un mouchoir noué sur les sourcils, brûla la ville de Pornic et les habitants dans les maisons. Pendant ce tempslà, Carrier était épouvantable. La terreur répliquait à la terreur. L'insurgé breton avait presque la figure de l'insurgé grec, veste courte, fusil en bandoulière, jambières, larges braies pareilles à la fustanelle; le gars ressemblait au klephte. Henri de La Rochejaquelein, à vingt et un ans, partait pour cette guerre avec un bâton et une paire de pistolets. L'armée vendéenne comptait cent cinquantequatre divisions. Ils faisaient des sièges en règle; ils tinrent trois jours Bressuire bloquée. Dix mille paysans, un vendredi saint, canonnèrent la ville des Sables à boulets rouges. Il leur arriva de détruire en un seul jour quatorze cantonnements républicains, de Montigné à Courbeveilles. À Thouars, sur la haute muraille, on entendait ce dialogue superbe entre La Rochejaquelein et un gars:Carle!Me voilà. Tes épaules que je monte dessus.Faites.Ton fusil.Prenez.Et La Rochejaquelein sauta dans la ville, et l'on prit sans échelles ces tours qu'avait assiégées Duguesclin. Ils préféraient une cartouche à un louis d'or. Ils pleuraient quand ils perdaient de vue leur clocher. Fuir leur semblait simple; alors les chefs criaient: Jetez vos sabots, gardez vos Fusils! Quand les munitions manquaient, ils disaient leur chapelet et allaient prendre de la poudre dans les caissons de l'artillerie républicaine; plus tard d'Elbée en demanda aux anglais. Quand l'ennemi approchait, s'ils avaient des blessés, ils les cachaient dans les blés ou dans les fougères vierges, et, l'affaire finie, venaient les reprendre. D'uniformes point. Leurs vêtements se délabraient. Paysans et gentilshommes s'habillaient des premiers haillons venus. Roger Mouliniers portait un turban et un dolman pris au magasin de costumes du théâtre de la Flèche; Le chevalier de Beauvilliers avait une robe de procureur et un chapeau de femme pardessus un bonnet de laine. Tous portaient l'écharpe et la ceinture blanches; les grades se distinguaient par le noeud. Stofflet avait un noeud rouge; La Rochejaquelein avait un noeud noir; Wimpfen, demigirondin, qui du reste ne sortit pas de Normandie, portait le brassard des carabots de Caen. Ils avaient dans leurs rangs des femmes, madame de Lescure, qui fut plus tard madame de La Rochejaquelein; Thérèse de Mollien, maitresse de La Rouarie, laquelle brûla la liste des chefs de paroisse; madame de La Rochefoucauld, belle, jeune, le sabre à la main, ralliant les paysans au pied de la grosse tour du château du PuyRousseau, et cette Antoinette Adams, dite le chevalier Adams, si vaillante que, prise, on la fusilla, mais debout, par respect. Ce temps épique était cruel. On était des furieux. Madame de Lescure faisait exprès marcher son cheval sur les républicains gisant hors de combat: morts, ditelle: blessés, peutêtre. Quelquefois les hommes trahirent, les femmes jamais. Madeleine Fleury, du ThéâtreFrançais; passa de La Rouarie à Marat, mais par amour. Les capitaines étaient souvent aussi ignorants que les soldats; M. de Sapinaud ne savait pas l'orthographe, il écrivait: «nous orions de notre cauté.» Les chefs s'entrehaïssaient; les capitaines du marais criaient: A bas ceux du pays haut! Leur cavalerie était peu nombreuse et difficile à former. Puysaye écrit: Tel homme qui me donne gaîment ses deux fils devient froid si je lui demande un de ses Chevaux. Fertes, fourches, faulx, fusils vieux et neufs, couteaux de braconnage, broches gourdins ferrés et cloutés, c'étaient là leurs armes; quelquesuns portaient en sautoir une croix faite de deux os de mort. Ils attaquaient à grands cris, surgissaient subitement de partout, des bois, des collines, des cépées, des chemins creux, s'égaillaient, c'estàdire faisaient le croissant, tuaient, exterminaient, foudroyaient et se dissipaient. Quand ils traversaient un bourg républicain, ils coupaient l'arbre de la liberté, le brûlaient, et dansaient en rond autour du feu. Toutes leurs allures étaient nocturnes. Règle du vendéen: être toujours inattendu. Ils faisaient quinze lieues en silence, sans courber une herbe sur leur passage. Le soir venu, après avoir fixé, entre chefs et en conseil de guerre, le lieu où le lendemain matin ils surprendraient les postes républicains, ils chargeaient leurs fusils, marmottaient leur prière, ôtaient leurs sabots, et filaient en longues colonnes, à travers les bois, pieds nus sur la bruyère et sur la mousse, sans un bruit, sans un mot, sans un souffle. Marche de chats dans les ténèbres.

VI.

L'AME DE LA TERRE PASSE DANS L'HOMME

La Vendée insurgée ne peut être évaluée à moins de cinq cent mille hommes, femmes et enfants. Un demimillion de combattants, c'est le chiffre donné par Tuffin de la Rouarie.

Les fédéralistes aidaient; la Vendée eut pour complice la Gironde. La Lozère envoyait au Bocage trente mille hommes. Huit départements se coalisaient, cinq en Bretagne, trois en Normandie. Evreux, qui fraternisait avec Caen, se faisait représenter dans la rébellion par Chaumont, son maire, et Gardembas, notable. Buzot, Gorsas et Barbaroux à Caen, Brissot à Mondins, Chassan à Lyon, RabantSaintEtienne à Nîmes, Meillan et Duchâtel en Bretagne, toutes ces bouches soufflaient sur la fournaise.

Il y a en deux Vendées: la grande, qui faisait la guerre des forêts, la petite, qui faisait la guerre des buissons; là est la nuance qui sépare Charette de Jean Chouan. La petite Vendée était naïve, la grande était corrompue; la petite valait mieux. Charette fut fait marquis, lieutenantgénéral des armées du roi, et grandcroix de SaintLouis; Jean Chouan resta Jean Chouan. Charette confine au bandit, Jean Chouan au paladin.

Quant à ces chefs magnanimes: Bonchamp, Leseure, La Rochejaquelein, ils se trompèrent. La grande armée catholique a été un effort insensé; le désastre devait suivre. Se figureton une tempête paysanne attaquant Paris, une coalition de villages assiégeant le Panthéon, une meute de noëls et d'oremus aboyant autour de la Marseillaise, la cohue des sabots se ruant sur la légion des esprits? Le Mans et Savenay châtièrent cette folie. Passer la Loire était impossible à la Vendée. Elle pouvait tout, excepté cette enjambée. La guerre civile ne conquiert point. Passer le Rhin complète César et augmente Napoléon; passer la Loire tue La Rochejaquelein. La vraie Vendée, c'est la Vendée chez elle; là elle est plus qu'invulnérable, elle est insaisissable. Le vendéen chez lui est contrebandier, laboureur, soldat, pâtre, braconnier, franctireur, chevrier, sonneur de cloches, paysan, espion, assassin, sacristain, bête des bois.

La Rochejaquelein n'est qu'Achille, Jean Chouan est Protée.

La Vendée a avorté. D'autres révoltes ont réussi, la Suisse par exemple. Il y a cette différence entre l'insurgé de montagne comme le suisse et l'insurgé de forêt comme le vendéen, que, presque toujours, fatale influence du milieu, l'un se bat pour un idéal, et l'autre pour des préjugés. L'un plane, l'autre rampe. L'un combat pour l'humanité, l'autre pour la solitude; l'un veut la liberté, l'autre veut l'isolement; l'un défend la commune, l'autre la paroisse. Communes! communes! criaient les héros de Morat. L'un a affaire aux précipices, l'autre aux fondrières; l'un est l'homme des torrents et des écumes, l'autre est l'homme des flaques stagnantes d'où sort la fièvre; l'un a sur la tête l'azur, l'autre une broussaille; l'un est sur une cime, l'autre est dans une ombre.

L'éducation n'est point la même, faite par les sommets ou par les basfonds.

La montagne est une citadelle, la forêt est une embuscade; l'une inspire l'audace, l'autre le piège. L'antiquité plaçait les dieux sur les faites et les satyres dans les halliers. Le satyre c'est le sauvage; demihomme, demibête. Les pays libres ont des Apennins, des Alpes, des Pyrénées, un Olympe. Le Parnasse est un mont. Le mont Blanc était le colossal auxiliaire de Guillaume Tell; au fond et audessus des immenses luttes des esprits contre la nuit qui emplissent les poèmes de l'Inde, on apertçoit l'Himalaya. La Grèce, l'Espagne, l'Italie, l'Helvétie, ont pour figure la montagne; la Cimmérie, Germanie ou Bretagne, a le bois. La forêt est barbare.

La configuration du sol conseille à l'homme beaucoup d'actions. Elle est complice, plus qu'on ne croit. En présence de certains paysages féroces, on est tenté d'exonérer l'homme et d'incriminer la création; on sent une sourde provocation de la nature; le désert est parfois malsain à la conscience, surtout à la conscience peu éclairée: la conscience peut être géante, cela fait Socrate et Jésus; elle peut être naine, cela fait Attrée et Judas. La conscience petite est vite reptile; les futaies crépusculaires, les ronces, les épines, les marais sous les branches, sont une fatale fréquentation pour elle; elle subit là la mystérieuse infiltration des persuasions mauvaises. Les illusions d'optique, les mirages inexpliqués, les effarements d'heure ou de lieu jettent l'homme dans une sorte d'effroi, demireligieux, demibestial, qui engendre, en temps ordinaires, la superstition, et dans les époques violentes, la brutalité. Les hallucinations tiennent la torche qui éclaire le chemin du meurtre. Il y a du vertige dans le brigand. La prodigieuse nature a un double sens qui éblouit les grands esprits et aveugle les âmes fauves. Quand l'homme est ignorant, quand le désert est visionnaire, l'obscurité de la solitude s'ajoute à l'obscurité de l'intelligence; de là dans l'homme des ouvertures d'abîmes. De certains rochers, de certains ravins, de certains taillis, de certaines clairesvoies farouches du soir à travers les arbres, poussent l'homme aux actions folles et atroces. On pourrait presque dire qu'il y a des lieux scélérats.

Que de choses tragiques a vues la sombre colline qui est entre Baignon et
Plélan!
Les vastes horizons conduisent l'âme aux idées générales; les horizons circonscrits engendrent les idées partielles; ce qui condamne quelquefois de grands coeurs à être de petits esprits; témoin Jean Chouan.

Les idées générales haïes par les idées partielles, c'est là la lutte même du progrès.

Pays, Patrie, ces deux mots résument toute la guerre de Vendée; querelle de l'idée locale contre l'idée universelle. Paysans contre patriotes.

VII.

LA VENDÉE A FINI LA BRETAGNE

La Bretagne est une vieille rebelle. Toutes les fois qu'elle s'était révoltée pendant deux mille ans, elle avait eu raison; la dernière fois, elle a eu tort. Et pourtant au fond, contre la révolution comme contre la monarchie, contre les représentants en mission comme contre les gouverneurs ducs et pairs, contre la planche aux assignats comme contre la ferme des gabelles, quels que fussent les personnages combattant. Nicolas Rapin, François de La Noue, le capitaine Pluviaut et la dame de la Garnache, ou Stofflet, Coquereau et Lechandelier de Pierreville, sous M. de Rohan contre le roi et sous M. de La Rochejaquelein pour le roi, c'était toujours la même guerre que la Bretagne faisait, la guerre de l'esprit local contre l'esprit central.

Ces antiques provinces étaient un étang; courir répugnait à cette eau dormante; le vent qui soufflait ne les vivifiait pas, il les irritait. Finisterre; c'était là que finissait la France, que le champ donné à l'homme se terminait et que la marche des générations s'arrêtait. Halte! criait l'océan à la terre et la barbarie à la civilisation. Toutes les fois que le centre, Paris, donne une impulsion, que cette impulsion vienne de la royauté ou de la république, qu'elle soit dans le sens du despotisme ou dans le sens de la liberté, c'est une nouveauté, et la Bretagne se hérisse. Laisseznous tranquilles. Qu'estce qu'on nous veut? Le Marais prend sa fourche, le Bocage prend sa carabine. Toutes nos tentatives, notre initiative en législation et en éducation, nos encyclopédies, nos philosophies, nos génies, nos gloires, viennent échouer devant le Houroux; le tocsin de Bazouges menace la révolution française, la lande du Faon s'insurge contre nos orageuses places publiques, et la cloche du HautdesPrés déclare la guerre à la Tour du Louvre.

Surdité terrible.

L'insurrection vendéenne est un lugubre malentendu.

Échauffourée colossale, chicane de titans, rébellion démesurée, destinée à ne laisser à l'histoire qu'un mot, la Vendée, mot illustre et noir; se suicidant pour des absents, dévouée à l'égoïsme, passant son temps à faire à la lâcheté l'offre d'une immense bravoure; sans calcul, sans stratégie, sans tactique, sans plan, sans but, sans chef, sans responsabilité; montrant à quel point la volonté peut être l'impuissance; chevaleresque et sauvage; l'absurdité en rut, bâtissant contre la lumière un gardefou de ténèbres; l'ignorance faisant à la vérité, à la justice, au droit, à la raison, à la délivrance, une longue résistance bête et superbe; l'épouvante de huit années, le ravage de quatorze départements, la dévastation des champs, l'écrasement des moissons, l'incendie des villages, la ruine des villes, le pillage des maisons, le massacre des femmes et des enfants, la torche dans les chaumes, l'épée dans les coeurs, l'effroi de la civilisation, l'espérance de M. Pitt; telle fut cette guerre, essai inconscient de parricide.

En somme, en démontrant la nécessité de trouer dans tous les sens la vieille ombre bretonne et de percer cette broussaille de toutes les flèches de la lumière à la fois, la Vendée a servi le progrès. Les catastrophes ont une sombre façon d'arranger les choses.

VIII.

PLUS QUAM CIVILIA BELLA

L'été de avait été très pluvieux; l'été de fut très chaud. Par suite de la guerre civile, il n'y avait, pour ainsi dire plus de chemins en Bretagne. On y voyageait pourtant, grâce à la beauté de l'été. La meilleure route est une terre sèche.

A la fin d'une sereine journée de juillet, une heure environ après le soleil couché, un homme à cheval, qui venait du côté d'Avranches, s'arrêta devant la petite auberge dite la CroixBranchard, qui était à l'entrée de Pontorson, et dont l'enseigne portait cette inscription qu'on y lisait encore il y a quelques années: Bon cidre à depoteyer. Il avait fait chaud tout le jour, mais le vent commençait à souffler.

Ce voyageur était enveloppé d'un ample manteau qui couvrait la croupe de son cheval. Il portait un large chapeau avec cocarde tricolore, ce qui n'était point sans hardiesse dans ce pays de haies et de coups de fusil où une cocarde était une cible. Le manteau noué au cou s'écartait pour laisser les bras libres, et dessous on pouvait entrevoir une ceinture tricolore et deux pommeaux de pistolets sortant de la ceinture. Un sabre qui pendait dépassait le manteau.

Au bruit du cheval qui s'arrêtait, la porte de l'auberge s'ouvrit, et l'aubergiste parut, une lanterne à la main. C'était l'heure intermédiaire; il faisait jour sur la route et nuit dans la maison.

L'hôte regarda la cocarde.

Citoyen, ditil, vous arrêtezvous ici?

Non.

Où donc allezvous?

A Dol.

En ce cas, retournez à Avranches ou restez à Pontorson.

Pourquoi?

Parce qu'on se bat à Dol.

Ah! dit le cavalier.

Et il reprit:

Donnez l'avoine à mon cheval.

L'hôte apporta l'auge, y vida un sac d'avoine, et débrida le cheval qui se mit souffler et à manger.

Le dialogue continua.

Citoyen, estce un cheval de réquisition?

Non.

Il est à vous?

Oui. Je l'ai acheté et payé.

D'où venezvous?

De Paris.

Pas directement?

Non.

Je crois bien, les routes sont interceptées. Mais la poste marche encore.

Jusqu'à Alençon. J'ai quitté la poste là.

Ah! il n'y aura bientôt plus de postes en France. Il n'y a plus de chevaux. Un cheval de trois cents francs se paye six cents francs, et les fourrages sont hors de prix. J'ai été maître de poste et me voilà gargotier. Sur treize cent treize maîtres de poste qu'il y avait, deux cents ont donné leur démission. Citoyen, vous avez voyagé d'après le nouveau tarif?

Du premier mai. Oui.

Vingt sous par poste dans la voiture, douze sous dans le cabriolet, cinq sous dans le fourgon. C'est à Alençon que vous avez acheté ce cheval?

Oui.

Vous avez marché aujourd'hui toute la journée?

Depuis l'aube.

Et hier?

Et avanthier.

Je vois cela. Vous êtes venu par Domfront et Mortain.

Et Avranches.

Croyezmoi, reposezsous, citoyen. Vous devez être fatigué, votre cheval l'est.

Les chevaux ont droit à la fatigue, les hommes non.

Le regard de l'hôte se fixa de nouveau sur le voyageur. C'était une figure grave, calme et sévère, encadrée de cheveux gris.

L'hôtelier jeta un coup d'oeil sur la route qui était déserte à perte de vue, et dit:

Et vous voyagez seul comme cela?

J'ai une escorte.

Où ça?

Mon sabre et mes pistolets.

L'aubergiste alla chercher un seau d'eau et fit boire le cheval, et, pendant que le cheval buvait, l'hôte considérait le voyageur et se disait en luimême:C'est égal, il a l'air d'un prêtre.

Le cavalier reprit:

Vous dites qu'on se bat à Dol?

Oui. Ça doit commencer dans ce momentci.

Qui estce qui se bat?

Un cidevant contre un cidevant.

Vous dites?

Je dis qu'un cidevant qui est pour la république se bat contre un cidevant qui est pour le roi.

Mais il n'y a plus de roi.

Il y a le petit. Et le curieux, c'est que les deux cidevant sont deux parents.

Le cavalier écoutait attentivement. L'aubergiste poursuivit:

L'un est jeune, l'autre est vieux. C'est le petitneveu qui se bat contre le grandoncle. L'oncle est royaliste, le neveu est patriote. L'oncle commande les blancs, le neveu commande les bleus. Ah! ils ne se feront pas quartier, allez. C'est une guerre à mort.

A mort?

Oui, citoyen. Tenez, voulezvous voir les politesses qu'ils se jettent à la tête? Ceci est une affiche que le vieux trouve moyen de faire placarder partout, sur toutes les maisons et sur tous les arbres, et qu'il a fait coller jusque sur ma porte.

L'hôte approcha sa lanterne d'un carré de papier appliqué sur un des battants de sa porte, et, comme l'affiche était en très gros caractères, le cavalier, du haut de son cheval, put lire:

«Le marquis de Lantenac a l'honneur d'informer son petitneveu, monsieur le vicomte Gauvain, que, si monsieur le marquis a la bonne fortune de se saisir de sa personne, il fera bellement arquebuser monsieur le vicomte.»

Et, poursuivit l'hôtelier, voici la réponse.

Il se retourna, et éclaira de sa lanterne une autre affiche placée en regard de la première sur l'autre battant de la porte. Le voyageur lut:

«Gauvain prévient Lantenac que s'il le prend il le fera fusiller.»

Hier, dit l'hôte, le premier placard a été collé sur ma porte, et ce matin le second. La réplique ne s'est pas fait attendre.

Le voyageur, à demivoix, et comme se parlant à luimême, prononça ces quelques mots, que l'aubergiste entendit sans trop les comprendre:

Oui, c'est plus que la guerre dans la patrie, c'est la guerre dans la famille. Il le faut, et c'est bien. Les grands rajeunissements des peuples sont à ce prix.

Et le voyageur portant la main à son chapeau, l'il fixé sur la deuxième affiche, la salua.

L'hôte continua:

Voyezvous, citoyen, voici l'affaire. Dans les villes et dans les gros bourgs nous sommes pour la révolution, dans la campagne ils sont contre; autant dire dans les villes on est français et dans les villages on est breton. C'est une guerre de bourgeois à pays. Ils nous appellent patauds, nous les appelons rustauds. Les nobles et les prêtres sont avec eux.

Pas tous, interrompit le cavalier.

Sans doute, citoyen, puisque nous avons ici un vicomte contre un marquis.

Et il ajouta à part lui:

Et que je crois bien que je parle à un prêtre.

Le cavalier continua:

Et lequel des deux l'emporte?

Jusqu'à présent, le vicomte. Mais il a de la peine. Le vieux est rude. Ces genslà, c'est la famille Gauvain, des nobles d'ici. C'est une famille à deux branches; il y a la grande branche dont le chef s'appelle le marquis de Lantenac, et la petite branche dont le chef s'appelle le vicomte Gauvain. Aujourd'hui les deux branches se battent. Cela ne se voit pas chez les arbres, mais cela se voit chez les hommes. Ce marquis de Lantenac est toutpuissant en Bretagne; pour les paysans, c'est un prince. Le jour de son débarquement, il a eu tout de suite huit mille hommes; en une semaine trois cents paroisses ont été soulevées. S'il avait pu prendre un coin de la côte, les Anglais débarquaient. Heureusement ce Gauvain s'est trouvé là, qui est son petitneveu, drôle d'aventure. Il est commandant républicain, et il a rembarré son grandoncle. Et puis le bonheur a voulu que ce Lantenac, en arrivant et en massacrant une masse de prisonniers, ait fait fusiller deux femmes, dont une avait trois enfants qui étaient adoptés par un bataillon de Paris. Alors cela a fait un bataillon terrible. Il s'appelle le bataillon du BonnetRouge. Il n'en reste pas beaucoup de ces parisienslà, mais ce sont de furieuses bayonnettes. Ils ont été incorporés dans la colonne du commandant Gauvain. Rien ne leur résiste. Ils veulent venger les femmes et ravoir les enfants. On ne sait pas ce que le vieux en a fait, de ces petits. C'est ce qui enrage les grenadiers de Paris. Supposez que ces enfants n'y soient pas mêlés, cette guerrelà ne serait pas ce qu'elle est. Le vicomte est un bon et brave jeune homme. Mais le vieux est un effroyable marquis. Les paysans appellent ça la guerre de saint Michel contre Belzébuth. Vous savez peutêtre que saint Michel est un ange du pays. Il a une montagne à lui au milieu de la mer dans la baie. Il passe pour avoir fait tomber le démon et pour l'avoir enterré sous une autre montagne qui est près d'ici, et qu'on appelle Tombelaine.

Oui, murmura le cavalier, Tumba Beleni, la tombe de Belenus, de Belus, de Bel, de Bélial, de Belzébuth.

Je vois que vous êtes informé.

Et l'hôte se dit en aparté:

Décidément, il sait le latin, c'est un prêtre.

Puis il reprit:

Eh bien, citoyen, pour les paysans, c'est cette guerrelà qui recommence. Il va sans dire que pour eux saint Michel, c'est le général royaliste, et Belzébuth, c'est le commandant patriote; mais s'il y a un diable, c'est bien Lantenac, et s'il y a un ange, c'est Gauvain. Vous ne prenez rien, citoyen?

J'ai ma gourde et un morceau de pain. Mais vous ne me dites pas ce qui se passe à Dol.

Voici. Gauvain commande la colonne d'expédition de la côte. Le but de Lantenac était d'insurger tout, d'appuyer la BasseBretagne sur la BasseNormandie, d'ouvrir la porte à Pitt, et de donner un coup d'épaule à la grande armée vendéenne avec vingt mille Anglais et deux cent mille Paysans. Gauvain a coupé court à ce plan. Il tient la côte, et il repousse Lantenac dans l'intérieur et les Anglais dans la mer. Lantenac était ici, et il l'en a délogé; il lui a repris le PontauBeau; il l'a chassé d'Avranches, il l'a chassé de Villedieu, il l'a empêché d'arriver à Granville. Il manœuvre pour le refouler dans la forêt de Fougères, et l'y cerner. Tout allait bien. Le vieux, qui est habile, a fait une pointe; on apprend qu'il a marché sur Dol. S'il prend Dol, et s'il établit sur le MontDol une batterie, car il a du canon, voilà un point de la côte où les anglais peuvent aborder, et tout est perdu. C'est pourquoi, comme il n'y avait pas une minute à perdre. Gauvain, que est un home de tête, n'a pris conseil de luimême, n'a pas demandé d'ordre et n'en a pas attendu, a sonné le bouteselle, attelé son artillerie, ramassé sa troupe, tiré son sabre, et voilà comment, pendant que Lantenac se jette sur Dol, Gauvain se jette sur Lantenac. C'est à Dol que ces deux fronts bretons vont se cogner. Ce sera un fier choc. Ils y sont maintenant.

Combien de temps fautil pour aller à Dol?

A une troupe qui a des chariots, au moins trois heures; mais ils y sont.

Le voyageur prêta l'oreille et dit:

En effet, il me semble que j'entends le canon.

L'hôte écouta.

Oui, citoyen. Et la fusillade. On déchire de la toile. Vous devriez passer la nuit ici. Il n'y a rien de bon à attraper par là.

Je ne puis m'arrêter. Je dois continuer ma route.

Vous avez tort. Je ne connais pas vos affaires, mais le risque est grand, et, à moins qu'il ne s'agisse de ce que vous avez de plus cher au monde...

C'est en effet de cela qu'il s'agit, répondit le cavalier.

... De quelque chose comme votre fils...

A peu près, dit le cavalier.

L'aubergiste leva la tête et se dit à part soi:

Ce citoyen me fait pourtant l'effet d'être un prêtre. Puis, après réflexion:

Après ça, un prêtre, ça a des enfants.

Rebridez mon cheval, dit le voyageur. Combien vous doisje?

Et il paya.

L'hôte rangea l'auge et le seau le long de son mur, et revint vers le voyageur.

Puisque vous êtes décidé à partir, écoutez mon conseil. Il est clair que vous allez à SaintMalo. Eh bien, n'allez pas par Dol. Il y a deux chemins, le chemin par Dol, et le chemin le long de la mer. L'un n'est guère plus court que l'autre. Le chemin le long de la mer va par SaintGeorges de Brehaigne, Cherrueix, et HirelleVivier. Vous laissez Dol au sud et Cancale au nord. Citoyen, au bout de la rue, vous allez trouver l'embranchement des deux routes; celle de Dol est à gauche, celle de SaintGeorges de Brehaigne est à droite. Ecoutezmoi bien, si vous allez par Dol, vous tombez dans le massacre. C'est pourquoi ne prenez pas à gauche, prenez à droite.

Merci, dit le voyageur.

Et il piqua son cheval.

L'obscurité s'était faite, il s'enfonça dans la nuit.

L'aubergiste le perdit de vue.

Quand le voyageur fut au bout de la rue à l'embranchement des deux chemins, il entendit la voix de l'aubergiste qui lui criait de loin:

Prenez à droite!

Il prit à gauche.

IX.

DOL

Dol, ville espagnole de France en Bretagne, ainsi la qualifient les cartulaires, n'est pas une ville, c'est une rue. Grande vieille rue gothique, toute bordée à droite et à gauche de maisons à piliers, point alignées, qui font des caps et des coudes dans la rue, d'ailleurs très large. Le reste de la ville n'est qu'un réseau de ruelles se rattachant à cette grande rue diamétrale et y aboutissant comme des ruisseaux à une rivière. La ville, sans portes ni murailles, ouverte, dominée par le MontDol, ne pourrait soutenir un siège; mais la rue en peut soutenir un. Les promontoires de maisons qu'on y voyait encore il y a cinquante ans, et les deux galeries sous piliers qui la bordent en faisaient un lieu de combat très solide et très résistant. Autant de maisons, autant de forteresses; et il fallait enlever l'une après l'autre. La vieille halle était à peu près au milieu de la rue.

L'aubergiste de la CroixBranchard avait dit vrai, une mêlée forcenée emplissait Dol au moment où il parlait. Un duel nocturne entre les blancs arrivés le matin et les bleus survenus le soir avait brusquement éclaté dans la ville. Les forces étaient inégales, les blancs étaient six mille, les bleus étaient quinze cents, mais il y avait égalité d'acharnement. Chose remarquable, c'étaient les quinze cents qui avaient attaqué les six mille.

D'un côté une cohue, de l'autre une phalange. D'un côté six mille paysans, avec des coeursdeJésus sur leurs vestes de cuir, des rubans blancs à leurs chapeaux ronds, des devises chrétiennes sur leurs brassards, des chapelets à leurs ceinturons, ayant plus de fourches que de sabres et des carabines sans bayonnettes, traînant des canons attelés de cordes, mal équipés, mal disciplinés, mal armés, mais frénétiques. De l'autre quinze cents soldats avec le tricorne à cocarde tricolore, l'habit à grandes basques et à grands revers, le baudrier croisé, le briquet à poignée de cuivre et le fusil à longue bayonnette, dressés, alignés, dociles et farouches, sachant obéir en gens qui sauraient commander, volontaires eux aussi, mais volontaires de la patrie, en haillons du reste, et sans souliers; pour la monarchie, des paysans paladins, pour la révolution, des héros vanupieds; et chacune des deux troupes ayant pour âme son chef; les royalistes un vieillard, les républicains un jeune homme. D'un côté Lantenac, de l'autre Gauvain.

La révolution, à côté des jeunes figures gigantesques, telles que Danton, SaintJust, et Robespierre, a les jeunes figures idéales, comme Hoche et Marceau. Gauvain était une de ces figures.

Gauvain avait trente ans, une encolure d'Hercule, l'oeil sérieux d'un prophète et le rire d'un enfant. Il ne fumait pas, il ne buvait pas, il ne jurait pas. Il emportait à travers la guerre un nécessaire de toilette; il avait grand soin de ses ongles, de ses dents, de ses cheveux qui étaient bruns et superbes; et dans les haltes il secouait luimême au vent son habit de capitaine qui était troué de balles et blanc de poussière. Toujours rué éperdument dans les mêlées, il n'avait jamais été blessé. Sa voix très douce avait à propos les éclats brusques du commandement. Il donnait l'exemple de coucher à terre, sous la bise, sous la pluie, dans la neige, roulé dans son manteau, et sa tête charmante posée sur une pierre. C'était une âme héroïque et innocente. Le sabre au poing le transfigurait. Il avait cet air efféminé qui dans la bataille est formidable.

Avec cela penseur et philosophe, un jeune sage; Alcibiade pour qui le voyait, Socrate pour qui l'entendait.

Dans cette immense improvisation qui est la révolution française, ce jeune homme avait été tout de suite un chef de guerre.

Sa colonne, formée par lui, était comme la légion romaine, une sorte de petite armée complète; elle se composait d'infanterie et de cavalerie; elle avait des éclaireurs, des pionniers, des sapeurs, des pontonniers; et, de même que la légion romaine avait des catapultes, elle avait des canons. Trois pièces bien attelées faisaient la colonne forte en la laissant maniable.

Lantenac aussi était un chef de guerre, pire encore. Il était à la fois plus réfléchi et plus hardi. Les vrais vieux héros ont plus de froideur que les jeunes parce qu'ils sont loin de l'aurore, et plus d'audace parce qu'ils sont près de la mort. Qu'ontils à perdre? si peu de chose. De là les manoeuvres téméraires, en même temps que savantes, de Lantenac. Mais en somme, et presque toujours, dans cet opiniâtre corpsàcorps du vieux et du jeune. Gauvain avait le dessus. C'était plutôt fortune qu'autre chose. Tous les bonheurs, même le bonheur terrible, font partie de la jeunesse. La victoire est un peu fille.

Lantenac était exaspéré contre Gauvain; d'abord parce que Gauvain le battait, ensuite parce que c'était son parent. Quelle idée atil d'être jacobin? ce Gauvain! ce polisson! son héritier, car le marquis n'avait pas d'enfants, un petitneveu, presque un petitfils?Ah! disait ce quasi grandpère, si je mets la main dessus, je le tue comme un chien!

Du reste, la république avait raison de s'inquiéter de ce marquis de Lantenac. A peine débarqué, il faisait trembler. Son nom avait couru dans l'insurrection vendéenne comme une traînée de poudre, et Lantenac était tout de suite devenu centre. Dans une révolte de cette nature où tous se jalousent et où chacun a son buisson ou son ravin, quelqu'un de haut qui survient rallie les chefs épars égaux entre eux. Presque tous les capitaines des bois s'étaient joints à Lantenac, et, de près ou de loin, lui obéissaient.

Un seul l'avait quitté, c'était le premier qui s'était joint à lui, Gavard. Pourquoi? C'est que c'était un homme de confiance. Gavard avait eu tous les secrets et adopté tous les plans de l'ancien système de guerre civile que Lantenac venait supplanter et remplacer. On n'hérite pas d'un homme de confiance; le soulier de La Rouarie n'avait pu chausser Lantenac. Gavard était allé rejoindre Bonchamp.

Lantenac, comme homme de guerre, était de l'école de Frédéric II; il entendait combiner la grande guerre avec la petite. Il ne voulait ni d'une «masse confuse», comme la grosse armée catholique et royale, foule destinée à l'écrasement; ni d'un éparpillement dans les halliers et les taillis, bon pour harceler, impuissant pour terrasser. La guérilla ne conclut pas, ou conclut mal; on commence par attaquer une république et l'on finit par détrousser une diligence. Lantenac ne comprenait cette guerre bretonne, ni toute en rase campagne comme La Rochejaquelein, ni toute dans la forêt comme Jean Chouan; ni Vendée, ni Chouannerie; il voulait la vraie guerre; se servir du paysan, mais l'appuyer sur le soldat. Il voulait des bandes pour la stratégie et des régiments pour la tactique. Il trouvait excellentes pour l'attaque, l'embuscade et la surprise, ces armées de village, tout de suite assemblées, tout de suite dispersées, mais il les sentait trop fluides; elles étaient dans sa main comme de l'eau; il voulait dans cette guerre flottante et diffuse créer un point solide; il voulait ajouter à la sauvage armée des forêts une troupe régulière qui fût le pivot de manoeuvre des paysans. Pensée profonde et affreuse; si elle eût réussi, la Vendée eût été inexpugnable.

Mais où trouver une troupe régulière? où trouver des soldats? où trouver des régiments? où trouver une armée toute faite? En Angleterre. De là l'idée fixe de Lantenac: faire débarquer les anglais. Ainsi capitule la conscience des partis; la cocarde blanche lui cachait l'habit rouge. Lantenac; n'avait qu'une pensée: s'emparer d'un point du littoral, et le livrer à Pitt. C'est pourquoi, voyant Dol sans défense, il s'était jeté dessus, afin d'avoir par Dol le MontDol, et par le MontDol la côte.

Le lieu était bien choisi. Le canon du MontDol balayerait d'un côté le Fresnois, de l'autre SaintBrelade, tiendrait à distance la croisière de Cancale et ferait toute la plage libre à une descente, du RassurCouesnon à SaintMèloirdesOndes.
Pour faire réussir cette tentative décisive, Lantenac avait amené avec lui un peu plus de six mille hommes, ce qu'il avait de plus robuste dans les bandes dont il disposait, et toute son artillerie, dix couleuvrines de seize, une bâtarde de huit et une pièce de régiment de quatre livres de balles. Il entendait établir une forte batterie sur le MontDol, d'après ce principe que mille coups tirés avec dix canons font plus de besogne que quinze cents coups tirés avec cinq canons.

Le succès semblait certain. On était six mille hommes. On n'avait à craindre, vers Avranches, que Gauvain et ses quinze cents hommes, et vers Dinan que Léchelle. Léchelle, il est vrai, avait, vingtcinq mille hommes, mais il était à vingt lieues. Lantenac était donc rassuré, du côté de Léchelle, par la grande distance contre le grand nombre, et, du côté de Gauvain, par le petit nombre contre la petite distance. Ajoutons que Léchelle était imbécile, et que, plus tard, il fit écraser ses vingtcinq mille hommes aux landes de la CroixBataille, échec qu'il paya de son suicide.

Lantenac avait donc une sécurité complète. Son entrée à Dol fut brusque et dure. Le marquis de Lantenac avait une rude renommée; on le savait sans miséricorde. Aucune résistance ne fut essayée. Les habitants terrifiés se barricadèrent dans leurs maisons. Les six mille vendéens s'installèrent dans la ville avec la confusion campagnarde, presque en champ de foire, sans fourriers, sans logis marqués, bivouaquant au hasard, faisant la cuisine en plein vent, s'éparpillant dans les églises, quittant les fusils pour les rosaires. Lantenac alla en hâte avec quelques officiers d'artillerie reconnaître le MontDol, laissant la lieutenance à GougeleBruant, qu'il avait nommé sergent de bataille.

Ce GougeleBrouant a laissé une vague trace dans l'histoire. Il avait, deux surnoms, Brisebleu, a cause de ses carnages de patriotes, et l'Imânus, parce qu'il avait en lui ou ne sait quoi d'inexprimablement horrible. Imânus, dérivé D'immanis, est un vieux mot basnormand qui exprime la laideur surhumaine, et quasi divine, dans l'épouvante, le démon, le satyre, l'ogre. Un ancien manuscrit dit: d'mes daeux iers j'vis L'imânus. Les vieillards du Bocage ne savent plus aujourd'hui ce que c'est que GougeleBruant, ni ce que signifie BriseBleu; mais ils connaissent confusément l'Imânus. L'Imânus est mêlé aux superstitions locales. On parle encore de l'Imânus à Trémorel et à Plumangat, deux villages où GougeleBruant a laissé la marque de son pied sinistre. Dans la Vendée, les autres étaient les sauvages, GougeleBruant était le barbare. C'était une espèce de cacique, tatoué de croixdeparDieu et de Fleursdelys; il avait sur sa face la lueur hideuse, et presque surnaturelle, d'une âme à laquelle ne ressemblait aucune autre âme humaine. Il était infernalement brave dans le combat, ensuite atroce. C'était un cur plein d'aboutissements tortueux, porté à tous les dévouements, enclin à toutes les fureurs. Raisonnaitil? Oui, mais comme les serpents rampent, en spirale. Il partait de l'héroïsme pour arriver à l'assassinat. Il était impossible de deviner d'où lui venaient ses résolutions, parfois grandioses à force d'être monstrueuses. Il était capable de tous les inattendus horribles. Il avait la férocité épique.

De là ce surnom difforme, l'Imânus.

Le marquis de Lantenac avait confiance en sa cruauté.

Cruauté, c'était juste, l'Imânus y excellait: mais en stratégie et en tactique il était moins supérieur, et peutêtre le marquis avaitil tort d'en faire son sergent de bataille. Quoi qu'il en soit, il laissa derrière lui l'Imânus avec charge de le remplacer et de veiller à tout.

GougeleBruant, homme plus guerrier que militaire, était plus propre à égorger un clan qu'à garder une ville. Pourtant il posa des grand'gardes.

Le soir venu, comme le marquis de Lantenac, après avoir reconnu l'emplacement de la batterie projetée, s'en retournait vers Dol, tout à coup, il entendit le canon. I regarda. Une fumée rouge s'élevait de la grande rue. Il y avait surprise, irruption, assaut: on se battait dans la ville.

Bien que difficile à étonner, il fut stupéfait. Il ne s'attendait à rien de pareil. Qui cela pouvaitil être? Evidemment ce n'était pas Gauvain. On n'attaque pas à un contre quatre. Etaitce Léchelle? Mais alors quelle marche forcée! Léchelle était improbable, Gauvain impossible.

Lantenac poussa son cheval: chemin faisant il rencontra des habitants qui s'enfuyaient, il les questionna, ils étaient fous de peur. Ils criaient: Les bleus! les bleus! et quand il arriva la situation était mauvaise.

Voici ce qui s'était passé.

X

PETITES ARMÉES ET GRANDES BATAILLES

En arrivant à Dol, les paysans, on vient de le voir, s'étaient dispersés dans la ville, chacun faisant à sa guise, comme cela arrive quand «on obéit d'amitié», c'était le mot des vendéens. Genre d'obéissance qui fait des héros, mais non des troupiers. Ils avaient garé leur artillerie avec les bagages sous les voûtes de vieille halle, et, las, buvant, mangeant, «chapelettant», ils s'étaient couchés pèlemêle en travers de la grande rue, plutôt encombrée que gardée. Comme la nuit tombait, la plupart s'endormirent, la tête sur leurs sacs, quelquesuns ayant leur femme à côté d'eux; car souvent les paysannes suivaient les paysans: en Vendée, les femmes grosses servaient d'espions. C'était une douce nuit de juillet; les constellations resplendissaient dans le profond bleu noir du ciel. Tout ce bivouac, qui était plutôt une halte de caravane qu'un campement d'armée, se mit à sommeiller paisiblement. Tout à coup, à la lueur du crépuscule, ceux qui n'avaient pas encore fermé les yeux virent trois pièces de canons braquées à l'entrée de la grande rue.

C'était Gauvain. Il avait surpris les grand'gardes, il était dans la ville, et il tenait avec sa colonne la tête de la rue.

Un paysan se dressa, cria: qui vive? et lâcha son coup de fusil: un coup de canon répliqua. Puis une mousqueterie furieuse éclata. Toute la cohue assoupie se leva en sursaut. Rude secousse. S'endormir sous les étoiles et se réveiller sous la mitraille.

Le premier moment fut terrible. Rien de tragique comme le fourmillement d'une foule foudroyée. Ils se jetèrent sur leurs armes. On criait, on courait, beaucoup tombaient. Les assaillis, ne savaient plus ce qu'ils faisaient et s'arquebusaient les uns les autres. Il y avait des gens ahuris qui sortaient des maisons, qui y rentraient, qui sortaient encore, et qui erraient dans la bagarre, éperdus. Des familles s'appelaient. Combat lugubre, mêlé de femmes et d'enfants. Les balles sifflantes rayaient l'obscurité. La fusillade partait de tous les coins noirs. Tout était fumée et tumulte. L'enchevêtrement des fourgons et des charrois s'y ajoutait. Les chevaux ruaient. On marchait sur les blessés. On entendait à terre des hurlement. Horreur de ceuxci, stupeur de ceuxlà. Les soldats et les officiers se cherchaient. Au milieu de tout cela, de sombres indifférences. Une femme allaitait son nouveauné, assise contre un pan de mur auquel était adossé son mari qui avait la jambe cassée et qui, pendant que son sang coulait, chargeait tranquillement sa carabine et tirait au hasard, tuant devant lui dans l'ombre. Des hommes à plat ventre tiraient à travers les roues des charrettes. Par moments il s'élevait un hourvari de clameurs. La grosse voix du canon couvrait tout. C'était épouvantable.

Ce fut, comme un abatis d'arbres; tous tombaient les uns sur les autres.

Gauvain, embusqué, mitraillait à coup sûr et perdait peu de monde.

Pourtant l'intrépide désordre des paysans finit par se mettre sur la défensive; ils se replièrent sous la halle, vaste redoute obscure, forêt de piliers de pierre. Là ils reprirent pied; tout ce qui ressemblait à un bois leur donnait confiance. L'Imânus suppléait de son mieux à l'absence de Lantenac. Ils avaient du canon, mais, au grand étonnement de Gauvain, ils ne s'en servaient point; cela tenait à ce que, les officiers d'artillerie étant allés avec le marquis reconnaître le MontDol, les gars ne savaient que faire des couleuvrines et des bâtardes; mais ils criblaient de balles les bleus qui les canonnaient. Les paysans ripostaient par la mousqueterie à la mitraille. C'étaient eux maintenant qui étaient abrités. Ils avaient entassé les baquets, les tombereaux, les bagages, toutes les futailles de la vieille halle, et improvisé une haute barricade avec des clairesvoies par où passaient leurs carabines. Par ces trous leur fusillade était meurtrière. Tout cela se fit vite. En un quart d'heure la halle eut un front imprenable.

Ceci devenait grave pour Gauvain. Cette halle brusquement transformée en citadelle, c'était l'inattendu. Les paysans étaient là, massés et solides. Gauvain avait réussi la surprise et manqué la déroute. Il avait mis pied à terre. Attentif, ayant son épée au poing sous ses bras croisés, debout dans la lueur d'une torche qui éclairait sa batterie, il regardait toute cette ombre.

Sa haute taille dans cette clarté le faisait visible aux hommes de la barricade. Il était le point de mire, mais il n'y songeait pas.

Les volées de balles qu'envoyait la barricade s'abattaient autour de Gauvain pensif.

Mais contre toutes ces carabines il avait du canon. Le boulet finit toujours par avoir raison. Qui a l'artillerie a la victoire. Sa batterie, bien servie, lui assurait la supériorité.

Subitement, un éclair jaillit de la halle pleine de ténèbres, on entendit comme un coup de foudre, et un boulet vint trouer une maison audessus de la tête de Gauvain.

La barricade répondait au canon par le canon.

Que se passaitil? Il y avait du nouveau. L'artillerie maintenant n'était plus d'un seul côté.

Un second boulet suivit le premier et vint s'enfoncer dans le mur tout près de Gauvain. Un troisième boulet jeta à terre son chapeau.

Ces boulets étaient de gros calibre. C'était une pièce de seize qui tirait.

On vous vise, commandant, crièrent les artilleurs.

Et ils éteignirent la torche. Gauvain, rêveur, ramassa son chapeau.

Quelqu'un, en effet, visait Gauvain, c'était Lantenac.

Le marquis venait d'arriver dans la barricade par le côté opposé.

L'Imânus avait couru à lui.

Monseigneur, nous sommes surpris.

Par qui?

Je ne sais.

La route de Dinan estelle libre?

Je le crois.

Il faut commencer la retraite.

Elle commence. Beaucoup se sont déjà sauvés.

Il ne faut pas se sauver; il faut se retirer. Pourquoi ne vous servezvous pas de l'artillerie?

On a perdu la tête, et puis les officiers n'étaient pas là.

J'y vais.

Monseigneur, j'ai dirigé sur Fougères le plus que j'ai pu des bagages, les femmes, tout l'inutile. Que fautil faire des trois petits prisonniers?

Ah! ces enfants?

Oui.

Ils sont nos otages. Faisles conduire à la Tourgue.

Cela dit, le marquis alla à la barricade. Le chef venu, tout changea de face. La barricade était mal faite pour l'artillerie, il n'y avait place que pour deux canons: le marquis mit en batterie deux pièces de seize, auxquelles on fit des embrasures. Comme il était penché sur un des canons, observant la batterie ennemie par l'embrasure, il aperçut Gauvain.

C'est lui! criatil.

Alors il prit luimême l'écouvillon et le fouloir, chargea la pièce, fixa le fronton de mire, et pointa.

Trois fois il ajusta Gauvain, et le manqua. Le troisième coup ne réussit qu'à le décoiffer.

Maladroit! murmura Lantenac. Un peu plus bas, j'avais la tête.

Brusquement la torche s'éteignit, et il n'eut plus devant lui que les ténèbres.

Soit, ditil.

Et se tournant vers les canonniers paysans, il cria:

A mitraille!

Gauvain de son côté n'était pas moins sérieux. La situation s'aggravait. Une phase nouvelle du combat se dessinait. La barricade en était à le canonner. Qui sait si elle n'allait point passer de la défensive à l'offensive? Il avait devant lui, en défalquant les morts et les fuyards, au moins cinq mille combattants, et il ne lui restait à lui que douze cents hommes maniables. Que deviendraient les républicains si l'ennemi s'apercevait de leur petit nombre? Les rôles seraient intervertis. On était assaillant, on serait assailli. Que la barricade fit une sortie, tout pouvait être perdu.

Que faire? Il ne fallait point songer à attaquer la barricade de front; un coup de vive force était chimérique: douze cents hommes ne débusquent pas cinq mille hommes. Brusquer était impossible, attendre était funeste. Il fallait en finir. Mais comment?

Gauvain était du pays, il connaissait la ville; il savait que la vieille halle, où les vendéens s'étaient crénelés, était adossée à un dédale de ruelles étroites et tortueuses.

Il se tourna vers son lieutenant qui était ce vaillant capitaine Guéchamp, fameux plus tard pour avoir nettoyé la forêt de Concise où était né Jean Chouan, et pour avoir, en barrant aux rebelles la chaussée de l'étang de la Chaîne, empêché la prise de Bourgneuf.
Guéchamp, ditil, je vous remets le commandement. Faites tout le feu que vous pourrez. Trouez la barricade à coups de canon. Occupezmoi tous ces garslà.

C'est compris, dit Guéchamp.

Massez toute la colonne, armes chargées, et tenezla prête à l'attaque.

Il ajouta quelques mots à l'oreille de Guéchamp.

C'est entendu, dit Guéchamp.

Gauvain reprit:

Tous nos tambours sontils sur pied?

Oui.

Nous en avons neuf. Gardezen deux, donnezm'en sept.

Les sept tambours vinrent en silence se ranger devant Gauvain.

Alors Gauvain cria:

A moi le bataillon du BonnetRouge!

Douze hommes, dont un sergent, sortirent du gros de la troupe.

Je demande tout le bataillon, dit Gauvain.

Le voilà, répondit le sergent.

Vous êtes douze!

Nous restons douze.

C'est bien, dit Gauvain.

Ce sergent était le bon et rude troupier Radoub, qui avait adopté au nom du bataillon les trois enfants rencontrés dans le bois de la Saudraie.

Un demibataillon seulement, on s'en souvient, avait été exterminé à HerbeenPail, et Radoub avait eu ce bon hasard de n'en point faire partie.
Un fourgon de fourrage était proche; Gauvain le montra du doigt au sergent.

Sergent, faites faire à vos hommes des liens de paillé, et qu'on torde cette paille autour des fusils pour qu'on n'entende pas de bruit s'ils s'entrechoquent.

Une minute s'écoula, l'ordre fut exécuté, en silence et dans l'obscurité.

C'est fait, dit le sergent.

Soldats, ôtez vos souliers, reprit Gauvain.

Nous n'en avons pas, dit le sergent.

Cela faisait, avec les sept tambours, dixneuf hommes: Gauvain était le vingtième.

Il cria:

Sur une seule file. Suivezmoi. Les tambours derrière moi. Le bataillon ensuite. Sergent, vous commanderez le bataillon.

Il prit la tête de la colonne, et, pendant que la canonnade continuait des deux côtés, ces vingt hommes, glissant comme des ombres s'enfoncèrent dans les ruelles désertes.

Ils marchèrent quelque temp de la sorte, serpentant le long des maisons. Tout semblait mort dans la ville; les bourgeois s'étaient blottis dans les caves. Pas une porte qui ne fût barrée, pas un volet qui ne fût fermé. De lumière nulle part.

La grande rue faisait dans ce silence un fracas furieux; le combat au canon continuait; la batterie républicaine et la barricade royaliste se crachaient toute leur mitraille avec rage.

Après vingt minutes de marche tortueuse, Gauvain, qui dans cette obscurité cheminait avec certitude, arriva à l'extrémité d'une ruelle d'où l'on rentrait dans la grande rue; seulement on était de l'autre côté de la halle.

La position était tournée. De ce côtéci il n'y avait pas de retranchement, ceci est l'éternelle imprudence des constructeurs de barricades, la halle était ouverte, et l'on pouvait entrer sous les piliers où étaient attelés quelques chariots de bagages prêts à partir. Gauvain et ses dixneuf hommes avaient devant eux les cinq mille Vendéens, mais de dos et non de front.

Gauvin parla à voix basse au sergent; on défit la paille nouée autour des fusils; les douze grenadiers se postèrent en bataille derrière l'angle de la ruelle, et les sept tambours, la baguette haute, attendirent.

Les décharges d'artillerie étaient intermittentes. Tout à coup, dans un intervalle, entre deux détonations, Gauvain leva son épée, et d'une voix qui, dans ce silence, sembla un éclat de clairon, il cria:

Deux cents hommes par la droite, deux cents hommes par la gauche, tout le reste sur le centre!

Les douze coups de fusil partirent, et les sept tambours sonnèrent la charge.

Et Gauvain jeta le cri redoutable des bleus:

A la bayonnette! Fonçons!

L'effet fut inouï.

Toute cette masse paysanne se sentit prise à revers, et s'imagina avoir une nouvelle armée dans le dos. En même temps, entendant le tambour, la colonne qui tenait le haut de la grande rue et que commandait Guéchamp s'ébranla, battant la charge de son côté, et se jeta au pas de course sur la barricade; les paysans se virent entre deux feux; la panique est un grossissement, dans la panique un coup de pistolet fait le bruit d'un coup de canon, toute clameur est fantôme, et l'aboiement d'un chien semble le rugissement d'un lion. Ajoutons que le paysan prend peur comme le chaume prend feu, et, aussi aisément qu'un feu de chaume devient incendie, une peur de paysan devient déroute. Ce fut une fuite inexprimable.

En quelques instants la halle fut vide, les gars terrifiés se désagrégèrent, rien à faire pour les officiers. L'Imânus tua inutilement deux ou trois fuyards, on n'entendait que ce cri: Sauve qui peut! et cette armée, à travers les rues de la ville comme à travers les trous d'un crible, se dispersa dans la campagne, avec une rapidité de nuée emportée par l'ouragan.

Les uns s'enfuirent vers Châteanneuf, les autres vers Merguer, les autres vers Antrain.

Le marquis de Lantenac vit cette déroute. Il encloua de sa main les canons, puis il se retira, le dernier, lentement et froidement, et il dit:

Décidément les paysans ne tiennent pas. Il nous faut les anglais.

XI.

C'EST LA SECONDE FOIS

La victoire était complète.

Gauvain se tourna vers les hommes du bataillon du BonnetRouge, et leur dit:

Vous êtes douze, mais vous en valez mille.

Un mot du chef, c'était la croix d'honneur de ce tempslà.

Guéchamp, lancé par Gauvain hors de la ville, poursuivit les fuyards et en prit beaucoup.

On alluma des torches et l'on fouilla la ville.

Tout ce qui ne put s'évader se rendit. On illumina la grande rue avec des pots à feu. Elle était jonchée de morts et de blessés. La fin d'un combat s'arrache toujours, quelques groupes désespérés résistaient encore çà et là, on les cerna, et ils mirent bas les armes.

Gauvain avait remarqué dans le pèlemêle effréné de la déroute un homme intrépide, espèce de faune agile et robuste, qui avait protégé la fuite des autres et ne s'était pas enfui. Ce paysan s'était magistralement servi de sa carabine, fusillant avec le canon, assommant avec la crosse, si bien qu'il l'avait cassée; maintenant il avait un pistolet dans un poing et un sabre dans l'autre. On n'osait l'approcher. Tout à coup Gauvain le vit qui chancelait et qui s'adossait à un pilier de la grande rue. Cet homme venait d'être blessé. Mais il avait toujours aux poings son sabre et son pistolet. Gauvain mit son épée sous son bras et alla à lui.

Rendstoi, ditil.

L'homme le regarda fixement. Sou sang coulait sous ses vêtements d'une blessure qu'il avait, et faisait une mare à ses pieds.

Tu es mon prisonnier, reprit Gauvain.

L'homme resta muet.

Comment t'appellestu?

L'homme dit:

Je m'appelle Danseàl'Ombre.

Tu es un vaillant, dit Gauvain.

Et il lui tendit la main.

L'homme répondit:

Vive le roi!

Et ramassant ce qui lui restait de force, levant les deux bras à la fois, il tira au cur de Gauvain un coup de pistolet et lui asséna sur la tête un coup de sabre.

Il fit cela avec une promptitude de tigre; mais quelqu'un fut plus prompt encore. Ce fut un homme à cheval qui venait d'arriver et qui était là depuis quelques instants, sans qu'on eût fait attention à lui. Cet homme, voyant le vendéen lever le sabre et le pistolet, se jeta entre lui et Gauvain. Sans cet homme, Gauvain était mort. Le cheval reçut le coup pistolet, l'homme reçut le coup de sabre, et tous deux tombèrent. Tout cela se fit le temps de jeter un cri.

Le vendéen de son côté s'était affaissé sur le pavé.

Le coup de sabre avait frappé l'homme en plein visage: il était à terre, évanoui. Le cheval était tué.

Gauvain s'approcha.

Qui est cet homme? ditil.

Il le considéra. Le sang de la balafre inondait le blessé et lui faisait un masque rouge. Il était impossible de distinguer sa figure. On lui voyait des cheveux gris.

Cet homme m'a sauté la vie, poursuivit Gauvain. Quelqu'un d'ici le connaîtil?

Mon commandant, dit un soldat, cet homme est entré dans la ville tout à l'heure. Je l'ai vu arriver. Il venait par la route de Pontorson.

Le chirurgienmajor de la colonne était accouru avec sa trousse. Le blessé était toujours sans connaissance. Le chirurgien l'examina et dit:

Une simple balafre. Ce n'est rien. Cela se recoud. Dans huit jours il sera sur pied. C'est un beau coup de sabre.

Le blessé avait un manteau, une ceinture tricolore, des pistolets, un sabre. On le coucha sur une civière. On le déshabilla. On apporta un seau d'eau fraîche, le chirurgien lava la plaie. Le visage commença à apparaître. Gauvain le regardait avec une attention profonde.

Atil des papiers sur lui? demanda Gauvain.

Le chirurgien tâta la poche de côté et en tira un portefeuille, qu'il tendit à Gauvain.

Cependant le blessé, ranimé par l'eau froide, revenait à lui. Ses paupières remuaient vaguement. Gauvain fouillait le portefeuille; il y trouva une feuille de papier pliée en quatre, il la déplia, il lut:

«Comité de salut public. Le citoyen Cimourdain...»

Il jeta un cri:

Cimourdain!

Ce cri fit ouvrir les yeux au blessé.

Gauvain était éperdu.

Cimourdain! c'est vous! C'est la seconde fois que vous me sauvez la vie.

Cimourdain regardait Gauvain. Un ineffable éclair de joie illuminait sa face sanglante.

Gauvain tomba à genoux devant le blessé en criant:

Mon maître!

Ton père, dit Cimourdain.

XII.

LA GOUTTE D'EAU FROIDE

Ils ne s'étaient pas vus depuis beaucoup d'années, mais leurs curs ne s'étaient jamais quittés; ils se reconnurent comme s'ils s'étaient séparés la veille.

On avait improvisé une ambulance à l'hôtel de ville de Dol. On porta Cimourdain sur un lit dans une petite chambre contiguë à la grande salle commune aux blessés. Le chirurgien, qui avait recousu la balafre, mit fin aux épanchements entre ces deux hommes, et jugea qu'il fallait laisser dormir Cimourdain. Gauvain d'ailleurs était réclamé par ces mille soins qui sont les devoirs et les soucis de la victoire. Cimourdain resta seul; mais il ne dormit pas; il avait deux fièvres, la fièvre de sa blessure et la fièvre de sa joie.

Il ne dormit pas, et pourtant il ne lui semblait pas être éveillé. Etaitce possible? son rêve était réalisé. Cimourdain était de ceux qui ne croient pas au quine, et il l'avait. Il retrouvait Gauvain. Il l'avait quitté enfant, il le retrouvait homme: il la retrouvait, grand, redoutable, intrépide. Il le retrouvait triomphant, et triomphant pour le peuple. Gauvain était en Vendée le point d'appui de la révolution, et c'était lui, Cimourdain, qui avait fait cette colonne à la république. Ce victorieux était son élève. Ce qu'il voyait rayonner à travers cette jeune figure réservée peutêtre au panthéon républicain, c'était sa pensée, à lui Cimourdain; son disciple, l'enfant de son esprit, était dès à présent un héros et serait avant peu une gloire; il semblait à Cimourdain qu'il revoyait sa propre âme faite Génie. Il venait de voir de ses yeux comment Gauvain faisait la guerre; il était comme Chiron ayant va combattre Achille. Rapport mystérieux entre le prêtre et le centaure; car le prêtre n'est homme qu'à micorps.

Tous les hasards de cette aventure, mêlés à l'insomnie de sa blessure, emplissaient Cimourdain d'une sorte d'enivrement mystérieux. Une jeune destinée se levait, magnifique, et, ce qui ajoutait à sa joie profonde, il avait plein pouvoir sur cette destinée; encore un succès comme celui qu'il venait de voir, et Cimourdain n'aurait qu'un mot à dire pour que la république confiât à Gauvain une armée. Rien n'éblouit comme l'étonnement de voir tout réussir. C'était le temps où chacun avait son rêve militaire; chacun voulait faire un général; Danton voulait faire Westermann, Marat voulait faire Rossignol, Hébert voulait faire Ronsin; Robespierre voulait les défaire tous. Pourquoi pas Gauvain? Se disait Cimourdain; et il songeait. L'illimité était devant lui; il passait d'une hypothèse à l'autre; tons les obstacles s'évanouissaient; une fois qu'on a mis le pied sur cette échellelà, on ne s'arrête plus, c'est la montée infinie, on part de l'homme et l'on arrive à l'étoile. Un grand général n'est qu'un chef d'armées; un grand capitaine est en même temps un chef d'idées; Cimourdain rêvait Gauvain grand capitaine. Il lui semblait, car la rêverie va vite, voir Gauvain sur l'Océan, chassant les anglais; sur le Rhin, châtiant les rois du Nord; aux Pyrénées, repoussant l'Espagne; aux Alpes, faisant signe à Rome de se lever. Il y avait en Cimourdain deux hommes, un homme tendre et un homme sombre; tous deux étaient contents; car, l'inexorable étant son idéal en même temps qu'il voyait Gauvain superbe, il le voyait terrible. Cimourdain pensait à tout ce qu'il fallait détruire avant de construire, et, certes, se disaitil, ce n'est pas l'heure des attendrissements. Gauvain sera «à la hauteur», mot du temps. Cimourdain se figurait Gauvain écrasant du pied les ténèbres, cuirassé de lumière, avec une lueur de météore au front, ouvrant les grandes ailes idéales de la justice, de la raison et du progrès, et une épée là la main; ange, mais exterminateur.

Au plus fort de cette rêverie qui était presque une extase, il entendit, par la porte entr'ouverte, qu'on parlait dans la grande salle de l'ambulance, voisine de sa chambre; il reconnut la voix de l'homme. Il écouta. Il y avait un bruit de pas. Des soldats disaient:

Mon commandant, cet hommeci est celui qui a tiré sur vous. Pendant qu'on ne le voyait pas, il s'était traîné dans une cave. Nous l'avons trouvé. Le voilà.

Alors Cimourdain entendit ce dialogue entre Gauvain et l'homme:

Tu es blessé?

Je me porte assez bien pour être fusillé.

Mettez cet homme dans un lit. Pansezle, soignezle, guérissezle.

Je veux mourir.

Tu vivras. Tu as voulu me tuer au nom du roi; je te fais grâce au nom de la république.

Une ombre passa sur le front de Cimourdain. Il eut comme un réveil en sursaut, et il murmura avec une sorte d'accablement sinistre:

En effet, c'est un clément.

XIII.

SEIN GUÉRI, CUR SAIGNANT

Une balafre se guérit vite; mais il y avait quelque part quelqu'un de plus gravement blessé que Cimourdain. C'était la femme fusillée que le mendiant Tellmarch avait ramassée dans la grande mare de sang de la ferme d'HerbeenPail.

Michelle Fléchard était plus en danger encore que Tellmarch ne l'avait cru: au trou qu'elle avait audessus du sein correspondait un trou dans l'omoplate; en même temps qu'une balle lui cassait la clavicule, une autre balle lui traversait l'épaule; mais, comme le poumon n'avait pas été touché, elle put guérir. Tellmarch était un «philosophe», mot de paysans qui signifie un peu médecin, un peu chirurgien et un peu sorcier. Il soigna la blessée dans sa tanière de bête sur son grabat de varech, avec ces choses mystérieuses qu'on appelle des «simples», et, grâce à lui, elle vécut.

La clavicule se ressouda, les trous de la poitrine et de l'épaule se fermèrent; après quelques semaines, la blessée fut convalescente.

Un matin, elle put sortir du carnichot, appuyée sur Tellmarch; elle alla s'asseoir sous les arbres au soleil. Tellmarch savait d'elle peu de chose, les plaies de poitrine exigent le silence, et, pendant la quasiagonie qui avait précédé sa guérison, elle avait à peine dit quelques paroles. Quand elle voulait parler, Tellmarch la faisait taire: mais elle avait une rêverie opiniâtre, et Tellmarch observait dans ses yeux une sombre allée et venue de pensées poignantes. Ce matinlà elle était forte, elle pouvait presque marcher seule; une cure, c'est une paternité, et Tellmarch la regardait, heureux. Ce bon vieux homme se mit à sourire. Il lui parla.

Eh bien, nous sommes debout. Nous n'avons plus de plaie.

Qu'au coeur, ditelle.

Et elle reprit:

Alors vous ne savez pas du tout où ils sont?

Qui ça? demanda Tellmarch.

Mes enfants.

Cet «alors» exprimait tout un monde de pensées; cela signifiait: «puisque vous ne m'en parlez pas, puisque depuis tant de jours vous êtes près de moi sans m'en ouvrir la bouche, puisque vous me faites taire chaque fois que je veux rompre le silence, puisque vous semblez craindre que je n'en parle, c'est que vous n'avez rien à m'en dire.» Souvent dans la fièvre, dans l'égarement, dans le délire, elle avait appelé ses enfants, et elle avait bien vu, car le délire fait ses remarques, que le vieux homme ne lui répondait pas.

C'est en effet Tellmarch ne savait que lui dire. Ce n'est pas aisé de parler à une mère de ses enfants perdus. Et puis, que savaitil? rien. Il savait qu'une mère avait été fusillée, que cette mère avait été trouvée à terre par lui, que lorsqu'il l'avait ramassée, c'était à peu près un cadavre, que ce cadavre avait trois enfants, et que le marquis de Lantenac, après avoir fait fusiller la mère, avait emmené les enfants.

Toutes ses informations s'arrêtaient là. Qu'estce que ces enfants étaient devenus? Etaientils même encore vivants? Il savait, pour s'en être informé, qu'il y avait deux garçons et une petite fille, à peine sevrée. Rien de plus. Il se faisait sur ce groupe infortuné une foule de questions, mais il n'y pouvait répondre. Les gens du pays qu'il avait interrogés s'étaient bornés à hocher la tête. M. de Lantenac était un homme dont on ne causait pas volontiers.

On ne parlait pas volontiers de Lantenac et on ne parlait pas volontiers à Tellmarch. Les paysans ont un genre de soupçon à eux. Ils n'aimaient pas Tellmarch. TellmarchleCaimand était un homme inquiétant. Qu'avaitil à regarder toujours le ciel? que faisaitil, et à quoi pensaitil dans ses longues heures d'immobilité? Certes, il était étrange. Dans ce pays en pleine guerre, en pleine déflagration, en pleine combustion, où tous les hommes n'avaient qu'une affaire, la dévastation, et qu'un travail, le carnage, où c'était à qui brûlerait une maison, égorgerait une famille, massacrerait un poste, saccagerait un village, où l'on ne songeait qu'à se tendre des embuscades, qu'à s'attirer dans des pièges, et qu'à s'entretuer les uns les autres, ce solitaire, absorbé dans la nature, comme submergé dans la paix immense des choses, cueillant des herbes et des plantes, uniquement occupé des fleurs, des oiseaux et des étoiles, était évidemment dangereux. Visiblement, il n'avait pas sa raison; il ne s'embusquait derrière aucun buisson, il ne tirait aucun coup de fusil à personne. De là une certaine crainte autour de lui.

Cet homme est fou, disaient les passants.

Tellmarch était plus qu'un homme isolé, c'était un homme évité.

On ne lui faisait pas de questions, et on ne lui faisait guère de réponses. Il n'avait donc pu se renseigner autant qu'il l'aurait voulu. La guerre s'était répandue ailleurs, on était allé se battre plus loin, le marquis de Lantenac avait disparu de l'horizon, et dans l'état d'esprit où était Tellmarch, pour qu'il s'aperçût de la guerre, il fallait qu'elle mît le pied sur lui.

Après ce mot,mes enfants,Tellmarch avait cessé de sourire, et la mère s'était mise à penser. Que se passaitil dans cette âme? Elle était comme au fond d'un gouffre. Brusquement elle regarda Tellmarch, et cria de nouveau et presque avec un accent de colère: Mes enfants!

Tellmarch baissa la tête comme un coupable.

Il songeait à ce marquis de Lantenac qui certes ne pensait pas à lui, et qui, probablement, ne savait même plus qu'il existât. Il s'en rendait compte, il se disait: Un seigneur, quand c'est dans le danger, ça vous connaît; quand c'est dehors, ça ne vous connaît plus.

Et il se demandait:Mais alors pourquoi aije sauvé ce seigneur?

Et il se répondait:Parce que c'est un homme.

Il fut làdessus quelque temps pensif, et il reprit en luimême:

En suisje bien sûr?

Et il se répéta son mot amer:Si j'avais su!

Toute cette aventure l'accablait; car dans ce qu'il avait fait il voyait une sorte d'énigme. Il méditait douloureusement.

Une bonne action peut donc être une mauvaise action. Qui sauve le loup tue les brebis. Qui raccommode l'aile du vautour est responsable de sa griffe.

Il se sentait en effet coupable. La colère inconsciente de cette mère avait raison.

Pourtant, avoir sauvé cette mère le consolait d'avoir sauvé ce marquis.

Mais les enfants?

La mère aussi songeait. Ces deux pensées se côtoyaient et, sans se le dire, se rencontraient peutêtre, dans les ténèbres de la rêverie.

Cependant son regard, au fond duquel était la nuit, se fixa de nouveau sur Tellmarch.

Ça ne peut pourtant pas se passer comme ça, ditelle.

Chut! fit Tellmarch, et il mit le doigt sur sa bouche.

Elle poursuivit:

Vous avez eu tort de ne sauver, et je vous en veux. J'aimerais mieux être morte, parce que je suis sûre que je les verrais. Je saurais où ils sont. Ils ne me verraient pas, mais je serais près d'eux. Une morte, ça doit pouvoir protéger.

Il lui prit le bras et lui tâta le pouls.

Calmezvous, vous vous redonnez la fièvre.

Elle lui demanda presque durement:

Quand pourraije m'en aller?

Vous en aller?

Oui. Marcher.

Jamais, si vous n'êtes pas raisonnable. Demain, si vous êtes sage.

Qu'appelezvous être sage?

Avoir confiance en Dieu.

Dieu! où m'atil mis mes enfants?

Elle était comme égarée. Sa voix devint très douce.

Vous comprenez, lui ditelle, je ne peux pas rester comme cela. Vous n'avez pas eu d'enfants, moi j'en ai eu. Cela fait une différence. On ne peut pas juger d'une chose quand on ne sait pas ce que c'est. Vous n'avez pas eu d'enfants, n'estce pas?

Non, répondit Tellmarch.

Moi, je n'ai eu que ça. Sans mes enfants, estce que je suis? Je voudrais qu'on m'expliquât pourquoi je n'ai pas mes enfants. Je sens bien qu'il se passe quelque chose, puisque je ne comprends pas. Ou a tué mon mari, on m'a fusillée, mais c'est égal, je ne comprends pas.

Allons, dit Tellmarch, voilà que la fièvre vous reprend.
Ne parlez plus.
Elle le regarda, et se tut.

A partir de ce jour, elle ne parla plus.

Tellmarch fut obéi plus qu'il ne voulait. Elle passait de longues heures accroupie au pied du vieux mur, stupéfaite. Elle songeait et se taisait. Le silence offre ou ne sait quel abri aux âmes simples qui ont subi l'approfondissement sinistre de la douleur. Elle semblait renoncer à comprendre. A un certain degré le désespoir est inintelligible au désespéré.

Tellmarch l'examinait, ému. En présence de cette souffrance, ce vieux homme avait des pensées de femme.Oh oui, se disaitil, ses lèvres ne parlent pas, mais ses yeux parlent, je vois bien ce qu'elle a, une idée fixe. Avoir été mère, et ne plus l'être! avoir été nourrice, et ne plus l'être! Elle ne peut pas se résigner. Elle pense à la toute petite qu'elle allaitait il n'y a pas longtemps. Elle y pense, elle y pense, elle y pense. Au fait, ce doit être si charmant de sentir une petite bouche rose qui vous tire votre âme de dedans le corps et qui avec votre vie à vous se fait une vie à elle!

Il se taisait de son côté, comprenant, devant un tel accablement, l'impuissance de la parole. Le silence d'une idée fixe est terrible. Et comment faire entendre raison à l'idée fixe d'une mère? La maternité est sans issue; on ne discute pas avec elle. Ce qui fait qu'une mère est sublime, c'est que c'est une espèce de bête. L'instinct maternel est divinement animal. La mère n'est plus femme, elle est femelle. Les enfants sont des petits.

De là dans la mère quelque chose d'inférieur et de supérieur au raisonnement. Une mère a un flair. L'immense volonté ténébreuse de la création est en elle, et la mène. Aveuglement plein de clairvoyance.

Tellmarch maintenant voulait faire parler cette malheureuse; il n'y réussissait pas. Une fois, il lui dit:

Par malheur, je suis vieux, et je ne marche plus. J'ai plus vite trouvé le bout de ma force que le bout de mon chemin. Après un quart d'heure, mes jambes refusent, et il faut que je m'arrête; sans quoi je pourrais vous accompagner. Au fait, c'est peutêtre un bien que je ne puisse pas. Je serais pour vous plus dangereux qu'utile: on me tolère ici; mais je suis suspect aux bleus comme paysan et aux paysans comme sorcier.

Il attendit ce quelle répondrait. Elle ne leva même pas les yeux.

Une idée fixe aboutit à la folie ou à l'héroïsme. Mais de quel héroïsme peut être capable une pauvre paysanne? d'aucun. Elle peut être mère, et voilà tout. Chaque jour elle s'enfonçait davantage dans sa rêverie. Tellmarch l'observait.

Il chercha à l'occuper; il lui apporta du fil, des aiguilles, un dé: et en effet, ce qui fit plaisir au pauvre caimand, elle se mit à coudre; elle songeait, mais elle travaillait, signe de santé; ses forces lui revenaient peu à peu; elle raccommoda son linge, ses vêtements, ses souliers; mais sa prunelle restait vitreuse. Tout en cousant elle chantait à demivoix des chansons obscures. Elle murmurait des noms, probablement des noms d'enfants, pas assez distinctement pour que Tellmarch les entendît. Elle s'interrompait et écoutait les oiseaux, comme s'ils avaient des nouvelles à lui donner. Elle regardait le temps qu'il faisait. Ses lèvres remuaient. Elle se parlait bas. Elle fit un sac, et elle le remplit de châtaignes. Un matin Tellmarch la vit qui se mettait en marche, l'il fixé au hasard sur les profondeurs de la forêt.

Où allezvous? lui demandatil.

Elle répondit:

Je vais les chercher.

Il n'essaya pas de la retenir.

XIV

LES DEUX POLES DU VRAI

Au bout de quelques semaines pleines de tous les vaetvient de la guerre civile, il n'était bruit dans le pays de Fougères que de deux hommes dont l'un était l'opposé de l'autre, et qui cependant faisaient la même oeuvre, c'estàdire combattaient côte à côte le grand combat révolutionnaire.

Le sauvage duel vendéen continuait, mais la Vendée perdait du terrain. Dans l'IlleetVilaine en particulier, grâce au jeune commandant qui, à Dol, avait si à propos riposté à l'audace des six mille royalistes par l'audace des quinze cents patriotes, l'insurrection était, sinon éteinte, du moins très amoindrie et très circonscrite. Plusieurs coups heureux avaient suivi celuilà, et de ces succès multipliés était née une situation nouvelle.

Les choses avaient changé de face, mais une singulière complication était survenue.

Dans toute cette partie de la Vendée, la république avait le dessus, ceci était hors de doute; mais quelle république? Dans le triomphe qui s'ébauchait, deux formes de la république étaient en présence, la république de la terreur et la république de la clémence, l'une voulant vaincre par la rigueur et l'autre par la douceur. Laquelle prévaudrait? Ces deux formes, la forme conciliante et la forme implacable, étaient représentées par deux hommes ayant chacun son influence et son autorité, l'un commandant militaire, l'autre délégué civil; lequel de ces deux hommes l'emporterait? De ces deux hommes, l'un, le délégué, avait de redoutables points d'appui; il était arrivé apportant la menaçante consigne de la commune de Paris aux bataillons de Santerre: «Pas de grâce, pas de quartier!» Il avait, pour tout soumettre à son autorité, le décret de la Convention portant «peine de mort contre quiconque mettrait en liberté et ferait évader un chef rebelle prisonnier», de pleins pouvoirs émanés du comité de salut public, et une injonction de lui obéir, à lui délégué, signée: ROBESPIERRE, DANTON, MARAT. L'autre, le soldat, n'avait pour lui que cette force, la pitié.

Il n'avait pour lui que son bras, qui battait les ennemis, et son coeur, qui leur faisait grâce. Vainqueur, il se croyait le droit d'épargner les vaincus.

De là un conflit latent, mais profond, entre ces deux hommes. Ils étaient tous les deux dans des nuages différents, tous les deux combattant la rébellion, et chacun ayant sa foudre à lui, l'un la victoire, l'autre la terreur.

Dans tout le Bocage on ne parlait que d'eux; et, ce qui ajoutait à l'anxiété des regards fixés sur eux de toutes parts, c'est que ces deux hommes, si absolument opposés, étaient en même temps étroitement unis. Ces deux antagonistes étaient deux amis. Jamais sympathie plus haute et plus profonde n'avait rapproché deux coeurs; le farouche avait sauvé la vie au débonnaire, et il en avait la balafre au visage. Ces deux hommes incarnaient, l'un la mort, l'autre la vie; l'un était le principe terrible, l'autre le principe pacifique, et ils s'aimaient. Problème étrange. Qu'on se figure Oreste miséricordieux et Pylade inclément. Qu'on se figure Arimane frère d'Ormus.

Ajoutons que celui des deux qu'on appelait «le féroce» était en même temps le plus fraternel des hommes; il pansait les blessés, soignait les malades, passait ses jours et ses nuits dans les ambulances et les hôpitaux, s'attendrissait sur des enfants pieds nus, n'avait rien à lui, donnait tout aux pauvres. Quand on se battait, il y allait; il marchait à la tête des colonnes et au plus fort du combat, armé, car il avait à sa ceinture un sabre et deux pistolets, et désarmé, car jamais on ne l'avait vu tirer son sabre et toucher à ses pistolets. Il affrontait les coups et n'en rendait pas. On disait qu'il avait été prêtre.

L'un de ces hommes était Gauvain, l'autre était Cimourdain.

L'amitié était entre les deux hommes, mais la haine était entre les deux principes; c'était comme une âme coupée en deux, et partagée; Gauvain, en effet, avait reçu une moitié de l'âme de Cimourdain, mais la moitié douce. Il semblait que Gauvain avait eu le rayon blanc et que Cimourdain avait gardé pour lui ce qu'on pourrait appeler le rayon noir. De là un désaccord intime. Cette sourde guerre ne pouvait pas ne point éclater. Un matin la bataille commença.

Cimourdain dit à Gauvain:

Où en sommesnous?

Gauvain répondit:

Vous le savez aussi bien que moi. J'ai dispersé les bandes de Lantenac.
Il n'a plus avec lui que quelques hommes. Le voilà acculé à la forêt de
Fougères. Dans huit jours, il sera cerné.
Et dans quinze jours?

Il sera pris.

Et puis?

Vous avez lu mon affiche?

Oui. Eh bien?

Il sera fusillé.

Encore de la clémence. Il faut qu'il soit guillotiné.

Moi, dit, Gauvain, je suis pour la mort militaire.

Et moi, répliqua Cimourdain, pour la mort révolutionnaire.

Il regarda Gauvain en face et lui dit:

Pourquoi astu fait mettre en liberté ces religieuses du couvent de
SaintMarcleBlanc?
Je ne fais pas la guerre aux femmes, répondit Gauvain.

Ces femmeslà haïssent le peuple. Et, pour la haine une femme vaut dix hommes.
Pourquoi astu refusé d'envoyer au tribunal révolutionnaire tout ce troupeau de vieux
prêtres fanatiques pris à Louvigné?

Je ne fais pas la guerre aux vieillards.

Un vieux prêtre est pire qu'un jeune. La rébellion est plus dangereuse, prêchée par les
cheveux blancs. On a foi dans les rides. Pas de fausse pitié, Gauvain. Les régicides sont
les libérateurs. Aie l'oeil fixé sur la tour du Temple.

La tour du Temple. J'en ferais sortir le dauphin. Je ne fais pas la guerre aux enfants.

L'oeil de Cimourdain devint sévère.

Gauvain, sache qu'il faut faire la guerre à la femme quand elle se nomme
MarieAntoinette, au vieillard quand il se nomme Pie VI, pape, et à l'enfant quand il se
nomme Louis Capet.

Mon maître, je ne suis pas un homme politique.

Tâche de ne pas être un homme dangereux. Pourquoi, à l'attaque du poste de Cossé,
quand le rebelle Jean Treton, acculé et perdu, s'est rué seul, le sabre au poing, contre
toute ta colonne, astu crié: Ouvrez les rangs. Laissez passer?

Parce qu'on ne se met pas à quinze cents pour tuer un homme.

Pourquoi, à la Cailleterie d'Astillé, quand tu as vu que tes soldats allaient tuer le Vendéen Joseph Bézier, qui était blessé et qui se traînait, astu crié: Allez en avant! J'en fais mon affaire! et astu tiré ton coup de pistolet en l'air?

Parce qu'on ne tue pas un homme à terre.

Et tu as eu tort. Tous deux sont aujourd'hui chefs de bande; Joseph Bézier, c'est Moustache, et Jean Treton, c'est Jambed'Argent. En sauvant ces deux hommes, tu as donné deux ennemis à la république.

Certes, je voudrais lui faire des amis, et non lui donner des ennemis.

Pourquoi, après la victoire de Landéan, n'astu pas fait fusiller tes trois cents paysans prisonniers?

Parce que, Bonchamp ayant fait grâce aux prisonniers républicains, j'ai voulu qu'il fût dit que la république faisait grâce aux prisonniers royalistes.

Mais alors, si tu prends Lantenac, tu lui feras grâce?

Non.

Pourquoi? Puisque tu as fait grâce aux trois cents paysans?

Les paysans sont des ignorants; Lantenac sait ce qu'il fait.

Mais Lantenac est ton parent?

La France est la grande parente.

Lantenac est un vieillard.

Lantenac est un étranger. Lantenac n'a pas d'âge. Lantenac appelle les Anglais. Lantenac c'est l'invasion. Lantenac est l'ennemi de la patrie. Le duel entre lui et moi ne peut finir que par sa mort, ou par la mienne.

Gauvain, souvienstoi de cette parole.

Elle est dite.

Il y eut un silence, et tous deux se regardèrent.

Et Gauvain reprit:

Ce sera une date sanglante que cette année où nous sommes.

Prends garde, s'écria Cimourdain. Les devoirs terribles existent. N'accuse pas qui n'est point accusable. Depuis quand la maladie estelle la faute du médecin? Oui, ce qui caractérise cette année énorme, c'est d'être sans pitié. Pourquoi? parce qu'elle est la grande année révolutionnaire. Cette année où nous sommes incarne la révolution. La révolution a un ennemi, le vieux monde, et elle est sans pitié pour lui, de même que le chirurgien a un ennemi, la gangrène, et est sans pitié pour elle. La révolution extirpe la royauté dans le roi, l'aristocratie dans le noble, le despotisme dans le soldat, la superstition dans le prêtre, la barbarie dans le juge, en un mot, tout ce qui est la tyrannie dans tout ce qui est le tyran. L'opération est effrayante, la révolution la fait d'une main sûre. Quant à la quantité de chair saine qu'elle sacrifie, demande à Boerhave ce qu'il en pense. Quelle tumeur à couper n'entraîne une perte de sang? Quel incendie à éteindre n'exige la part du feu? Ces nécessités redoutables sont la condition même du succès. Un chirurgien ressemble à un boucher; un guérisseur peut faire l'effet d'un bourreau. La révolution se dévoue à son uvre fatale. Elle mutile, mais elle sauve. Quoi! vous lui demandez grâce pour le virus! vous voulez qu'elle soit clémente pour ce qui est vénéneux! Elle n'écoute pas. Elle tient le passé, elle l'achèvera. Elle fait à la civilisation une incision profonde, d'où sortira la santé du genre humain. Vous souffrez? sans doute. Combien de temps cela dureratil? Le temps de l'opération. Ensuite vous vivrez. La révolution ampute le monde. De là cette hémorragie, .

Le chirurgien est calme, dit Gauvain, et les hommes que je vois sont violents.

La révolution, répliqua Cimourdain, veut pour l'aider des ouvriers farouches. Elle repousse toute main qui tremble. Elle n'a foi qu'aux inexorables. Danton, c'est le terrible, Robespierre, c'est l'inflexible, SaintJust, c'est l'irréductible, Marat, c'est l'implacable. Prendsy garde, Gauvain. Ces nomslà sont nécessaires. Ils valent pour nous des armées. Ils terrifieront l'Europe.

Et peutêtre aussi l'avenir, dit Gauvain.

Il s'arrêta et repartit:

Du reste, mon maître, vous faites erreur, je n'accuse personne. Selon moi, le vrai point de vue de la révolution, c'est l'irresponsabilité. Personne n'est innocent, personne n'est coupable. Louis XVI, c'est un mouton jeté parmi des lions. Il veut fuir, il veut se sauver, il cherche à se défendre; il mordrait, s'il pouvait. Mais n'est pas lion qui veut. Sa velléité passe pour crime. Ce mouton en colère montre les dents. Le traître! disent les lions. Et ils le mangent. Cela fait, ils se battent entre eux.

Le mouton est une bête.

Et les lions, que sontils?

Cette réplique fit songer Cimourdain. Il releva la tête et dit:

Ces lionslà sont des consciences. Ces lionslà sont des idées. Ces lionslà sont des principes.

Ils font la terreur.

Un jour, la révolution sera la justification de la terreur.

Craignez que la terreur ne soit la calomnie de la révolution.

Et Gauvain reprit:

Liberté, Egalité, Fraternité, ce sont des dogmes de paix et d'harmonie. Pourquoi leur donner un aspect effrayant? Que voulonsnous? conquérir les peuples à la république universelle. Eh bien, ne leur faisons pas peur. A quoi bon l'intimidation? Pas plus que les oiseaux, les peuples ne sont attirés par l'épouvantail. Il ne faut pas faire le mal pour faire le bien. On ne renverse pas le trône pour laisser l'échafaud debout. Mort aux rois, et vie aux nations. Abattons les couronnes, épargnons les têtes. La révolution, c'est la concorde, et non l'effroi. Les idées douces sont mal servies par les hommes incléments. Amnistie est pour moi le plus beau mot de la langue humaine. Je ne veux verser de sang qu'en risquant le mien. Du reste je ne sais que combattre, et je ne suis qu'un soldat. Mais si l'on ne peut pardonner, cela ne vaut pas la peine de vaincre. Soyons pendant la bataille les ennemis de nos ennemis, et après la victoire leurs frères.

Prends garde! répéta Cimourdain pour la troisième fois. Gauvain, tu es pour moi plus que mon fils, prends garde!

Et il ajouta, pensif:

Dans des temps comme les nôtres, la pitié peut être une des formes de la trahison.

En entendant parler ces deux hommes, on eût cru entendre le dialogue de l'épée et de la hache.

XV

DOLOROSA

Cependant la mère cherchait ses petits.

Elle allait devant elle. Comment vivaitelle? Impossible de le dire. Elle ne le savait pas ellemême. Elle marcha des jours et des nuits; elle mendia, elle mangea de l'herbe, elle coucha à terre, elle dormit en plein air, dans les broussailles, sous les étoiles, quelquefois sous la pluie et la bise.

Elle rôdait de village en village, de métairie en métairie, s'informant. Elle s'arrêtait aux seuils. Sa robe était en haillons. Quelquefois on l'accueillait, quelquefois on la chassait. Quand elle ne pouvait entrer dans les maisons, elle allait dans les bois.

Elle ne connaissait pas le pays, elle ignorait tout, excepté Siscoignard et la paroisse d'Azé, elle n'avait point d'itinéraire, elle revenait sur ses pas, recommençait une route déjà parcourue, faisait du chemin inutile. Elle suivait tantôt le pavé, tantôt l'ornière d'une charrette, tantôt les sentiers dans les taillis. A cette vie au hasard, elle avait usé ses misérables vêtements. Elle avait marché d'abord avec ses souliers, puis avec ses pieds nus, puis avec ses pieds sanglants.

Elle allait à travers la guerre, à travers les coups de fusil, sans rien entendre, sans rien voir, sans rien éviter, cherchant ses enfants. Tout étant en révolte, il n'y avait plus de gendarmes, plus de maires, plus d'autorité. Elle n'avait affaire qu'aux passants.

Elle leur parlait. Elle demandait:

Avezvous vu quelque part trois petits enfants?

Les passants levaient la tête.

Deux garçons et une fille, disaitelle.

Elle continuait:

RenéJean, GrosAlain, Georgette? Vous n'avez pas vu ça?

Elle poursuivait:

L'aîné a quatre ans et demi, la petite a vingt mois.

Elle ajoutait:

Savezvous où ils sont? on me les a pris.

On la regardait et c'était tout.

Voyant qu'on ne la comprenait pas, elle disait:

C'est qu'ils sont à moi. Voilà pourquoi.

Les gens passaient leur chemin. Alors elle s'arrêtait et ne disait plus rien, et se déchirait le sein avec les ongles.

Un jour pourtant un paysan l'écouta. Le bonhomme se mit à réfléchir.

Attendez donc, ditil. Trois enfants?

Oui.

Deux garçons?...

Et une fille.

C'est ça que vous cherchez?

Oui.

J'ai ouï parler d'un seigneur qui avait pris trois petits enfants et qui les avait avec lui.

Où est cet homme? criatelle. Où sontils?

Le paysan répondit:

Allez à la Tourgue.

Estce que c'est là que je trouverai mes enfants?

Peutêtre bien que oui.

Vous dites?...

La Tourgue.

Qu'estce que c'est que la Tourgue?

C'est un endroit.

Estce un village? un château? une métairie?

Je n'y suis jamais allé.

Estce loin?

Ce n'est pas près.

De quel côté?

Du côté de Fougères.

Par où y vaton?

Vous êtes à Vantortes, dit le paysan, vous laisserez Ernée à gauche et
Coxelles à droite, vous passerez par Lorchamp et vous traverserez le
Leroux.
Et le paysan leva sa main vers l'occident.

Toujours droit devant vous en allant du côté où le soleil se couche.

Avant que le paysan eût baissé son bras, elle était en marche.

Le paysan lui cria:

Mais prenez garde. On se bat par là.

Elle ne se retourna point pour lui répondre, et continua d'aller en avant.

XVI.

UNE BASTILLE DE PROVINCE

Le voyageur qui, il y a quarante ans, entré dans la forêt de Fougères du côté de Laignelet, en ressortait du côté de Parigné, faisait, sur la lisière de cette profonde futaie, une rencontre sinistre. En débouchant du hallier, il avait brusquement devant lui la Tourgue.

Non la Tourgue vivante, mais la Tourgue morte. La Tourgue lézardée, sabordée, balafrée, démantelée. La ruine est à l'édifice ce que le fantôme est à l'homme. Pas de plus lugubre vision que la Tourgue. Ce qu'on avait sous les yeux, c'était une haute tour ronde, toute seule au coin du bois comme un malfaiteur. Cette tour, droite sur un bloc de roche à pic, avait presque l'aspect romain tant elle était correcte et solide, et tant dans cette masse robuste l'idée de la puissance était mêlée à l'idée de la chute. Romaine, elle l'était même un peu, car elle était romane. Commencée au neuvième siècle, elle avait été achevée au douzième, après la troisième croisade. Les imposte à oreillons de ses baies disaient son âge. On approchait, on gravissait l'escarpement, on apercevait une brèche, on se risquait à entrer, on était dedans, c'était vide. C'était quelque chose comme l'intérieur d'un clairon de pierre posé debout sur le sol. Du haut en bas, aucun diaphragme; pas de toit, pas de plafonds, pas de planchers, des arrachements de voûtes et de cheminées, des embrasures à fauconneaux, à des hauteurs diverses, des cordons de corbeaux de granit et quelques poutres transversales marquant les étages; sur les poutres les fientes des oiseaux de nuit, la muraille colossale, quinze pieds d'épaisseur à la base et douze au sommet, çà et là des crevasses et des trous qui avaient été des portes, par où l'on entrevoyait des escaliers dans l'intérieur ténébreux du mur. Le passant qui pénétrait là le soir entendait crier les hulottes, les tettechèvres, les bihoreaux et les crapaudsvolants, et voyait sous ses pieds des ronces, des pierres, des reptiles, et sur sa tête, à travers une rondeur noire qui était le haut de la tour et qui semblait la bouche d'un puits énorme, les étoiles.

C'était la tradition du pays qu'aux étages supérieurs de cette tour il y avait des portes secrètes faites, comme les portes des tombeaux des rois de Juda, d'une grosse pierre tournant sur pivot, s'ouvrant, puis se refermant, et s'effaçant dans la muraille; mode architecturale rapportée des croisades avec l'ogive. Quand ces portes étaient closes, il était impossible de les retrouver, tant elles étaient bien mêlées aux autres pierres du mur. On voit encore aujourd'hui de ces porteslà dans les mystérieuses cités de l'AntiLiban, échappées au tremblement des douze villes sous Tibère.

La brèche par où l'on entrait dans la ruine était une trouée de mine. Pour un connaisseur, familier avec Errard, Sardi et Pagan, cette mine avait été savamment faite. La chambre à feu en bonnet de prêtre était proportionnée à la puissance du donjon qu'elle avait à éventrer. Elle avait dû contenir au moins deux quintaux de poudre. On y arrivait par un canal serpentant qui vaut mieux que le canal droit; l'écroulement produit par la mine montrait à nu dans le déchirement de la pierre le saucisson, qui avait le diamètre voulu d'un oeuf de poule. L'explosion avait fait à la muraille une blessure profonde par où les assiégeants avaient dû pouvoir entrer. Cette tour avait évidemment soutenu, à diverses époques, de vrais sièges en règle; elle était criblée de mitrailles; et ces mitrailles n'étaient pas toutes du même temps; chaque projectile a sa façon de marquer un rempart; et tous avaient laissé à ce donjon leur balafre, depuis les boulets de pierre du quatorzième siècle jusqu'aux boulets de fer du dixhuitième.

La brèche donnait entrée dans ce qui avait dû être le rezdechaussée. Visàvis de la brèche, dans le mur de la tour, s'ouvrait le guichet d'une crypte taillée dans le roc et se prolongeant dans les fondations de la tour jusque sous la salle du rezdechaussée.

Cette crypte, aux trois quarts comblée, a été déblayée en par les soins de M. Auguste Le Prévost, l'antiquaire de Bernay.

Cette crypte était l'oubliette. Tout donjon avait la sienne. Cette crypte, comme beaucoup de caves pénales des mêmes époques, avait deux étages. Le premier étage, où l'on pénétrait par le guichet, était une chambre voûtée assez vaste, de plainpied avec la salle du rezdechaussée. On voyait sur la paroi de cette chambre deux sillons parallèles et verticaux qui allaient d'un mur à l'autre en passant par la voûte où ils étaient profondément empreints, et qui donnaient l'idée de deux ornières. C'étaient deux ornières en effet. Ces deux sillons avaient été creusés par deux roues. Jadis, aux temps féodaux, c'était dans cette chambre que se faisait l'écartèlement, par un procédé moins tapageur que les quatre chevaux. Il y avait là deux roues, si fortes et si grandes qu'elles touchaient les murs et la voûte. On attachait à chacune de ces roues un bras et une jambe du patient, puis on faisait tourner les deux roues en sens inverse, ce qui arrachait l'homme. Il fallait de l'effort; de là les ornières creusées dans la pierre que les roues effleuraient. On peut voir encore aujourd'hui une chambre de ce genre à Vianden.

Audessous de cette chambre il y en avait une autre. C'était l'oubliette véritable. On n'y entrait point par une porte, on y pénétrait par un trou; le patient, nu, était descendu, au moyen d'une corde sous les aisselles, dans la chambre d'en bas par un soupirail pratiqué au milieu du dallage de la chambre d'en haut. S'il s'obstinait à vivre, on lui jetait sa nourriture par ce trou. On voit encore aujourd'hui un trou de ce genre à Bouillon.

Par ce trou il venait du vent. La chambre d'en bas, creusée sous la salle du rezdechaussée, était plutôt un puits qu'une chambre. Elle aboutissait à de l'eau, et un souffle glacial l'emplissait. Ce vent qui faisait mourir le prisonnier d'en bas faisait vivre le prisonnier d'en haut. Il rendait la prison respirable. Le prisonnier d'en haut, à tâtons sous sa voûte, ne recevait d'air que par ce trou. Du reste, qui y entrait, ou qui y tombait, n'en sortait plus. C'était au prisonnier à s'en garer dans l'obscurité. Un faux pas pouvait du patient d'en haut faire le patient d'en bas. Cela le regardait. S'il tenait à la vie, ce trou était son danger; s'il s'ennuyait, ce trou était sa ressource. L'étage supérieur était le cachot, l'étage inférieur était le tombeau. Superposition ressemblante à la société d'alors.

C'est là ce que nos aïeux appelaient «un culdebassefosse». La chose ayant disparu, le nom pour nous n'a plus de sens. Grâce à la révolution, nous entendons prononcer ces motslà avec indifférence.

Du dehors de la tour, audessus de la brèche qui en était, il y a quarante ans, l'entrée unique, on apercevait une embrasure plus large que les autres meurtrières, à laquelle pendait un grillage de fer descellé et défoncé.

A cette tour, et du côté opposé à la brèche, se rattachait un pont de pierre de trois arches peu endommagées. Le pont avait porté un corps de logis dont il restait quelques tronçons. Ce corps de logis, où étaient visibles les marques d'un incendie, n'avait plus que sa charpente noircie, sorte d'ossature à travers laquelle passait le jour, et qui se dressait auprès de la tour, comme un squelette à côté d'un fantôme.

Cette ruine est aujourd'hui tout à fait démolie, et il n'en reste aucune trace. Ce qu'ont fait beaucoup de siècles et beaucoup de rois, il suffit d'un jour et d'un paysan pour le défaire.

La Tourgue, abréviation paysanne, signifie la TourGauvain, de même que la Jupelle signifie la Jupellière, et que ce nom d'un bossu chef de bande, PinsonleTort, signifie PinsonleTortu.

La Tourgue, qui il y a quarante ans était une ruine et qui aujourd'hui est une ombre, était en une forteresse. C'était la vieille bastille des Gauvain, gardant à l'occident l'entrée de la forêt de Fougères, forêt qui, ellemême, est à peine un bois maintenant.

On avait construit cette citadelle sur un de ces gros blocs de schiste qui abondent entre Mayenne et Dinan, et qui sont partout épars parmi les halliers et les bruyères, comme si les titans s'étaient jeté des pavés à la tête.

La tour était toute la forteresse; sous la tour le rocher, au pied du rocher un de ces cours d'eau que le mois de janvier change en torrents et que le mois de juin met à sec.

Simplifiée à ce point, cette forteresse était, au moyenâge, à peu près imprenable. Le pont l'affaiblissait. Les Gauvain gothiques l'avaient bâtie sans pont. On y abordait par une de ces passerelles branlantes qu'un coup de hache suffisait à rompre. Tant que les Gauvain furent vicomtes, elle leur plut ainsi, et ils s'en contentèrent; mais quand ils furent marquis, et quand ils quittèrent la caverne pour la cour, ils jetèrent trois arches sur le torrent, et ils se firent accessibles du côté de la plaine de même qu'ils s'étaient faits accessibles du côté du roi. Les marquis au dixseptième siècle et les marquises au dixhuitième, ne tenaient plus à être imprenables. Copier Versailles remplaça ceci: continuer les aïeux.

En face de la tour, du côté occidental, il y avait un plateau assez élevé allant aboutir aux plaines; ce plateau venait presque toucher la tour, et n'en était séparé que par un ravin très creux où coulait le cours d'eau qui est un affluent du Couesnon. Le pont, trait d'union entre la forteresse et le plateau, fut fait haut sur piles; et sur ces piles on construisit, comme à Chenonceaux, un édifice en style Mansard, plus logeable que la tour. Mais les moeurs étaient encore très rudes; les seigneurs gardèrent la coutume d'habiter les chambres du donjon pareilles à des cachots. Quant au bâtiment sur le pont, qui était une sorte de petit châtelet, on y pratiqua un long couloir qui servait d'entrée et qu'on appela la salle des gardes; audessus de cette salle des gardes, qui était une sorte d'entresol, on mit une bibliothèque, audessus de la bibliothèque un grenier. De longues fenêtres à petites vitres en verre de Bohême, des pilastres entre les fenêtres, des médaillons sculptés dans le mur; trois étages; en bas, des pertuisanes Et des mousquets; au milieu, des livres; en haut, des sacs d'avoine; tout Cela était un peu sauvage et fort noble.

La tour à côté était farouche.

Elle dominait cette bâtisse coquette de toute sa hauteur lugubre. De la plateforme on pouvait foudroyer le pont.

Les deux édifices, l'un abrupt, l'autre poli, se choquaient plus qu'ils ne s'accostaient. Les deux styles n'étaient point d'accord; bien que deux demicercles semblent devoir être identiques, rien ne ressemble moins à un pleincintre roman qu'une archivolte classique. Cette tour digne des forêts était une étrange voisine pour ce pont digne de Versailles. Qu'on se figure Alain BarbeTorte donnant le bras à Louis XIV. L'ensemble terrifiait. Des deux majestés mêlées sortait on ne sait quoi de féroce.

Au point de vue militaire, le pont, insistons y, livrait presque la tour. Il l'embellissait et la désarmait; en gagnant de l'ornement elle avait perdu de la force. Le pont la mettait de plain pied avec le plateau. Toujours inexpugnable du côté de la forêt, elle était maintenant vulnérable du côté de la plaine. Autrefois elle commandait le plateau, à présent le plateau la commandait. Un ennemi installé là serait vite maître du pont. La bibliothèque et le grenier étaient pour l'assiégeant, et contre la forteresse. Une bibliothèque et un grenier se ressemblent en ceci que les livres et la paille sont du combustible. Pour un assiégeant qui utilise l'incendie, brûler Homère ou brûler une botte de foin, pourvu que cela brûle, c'est la même chose. Les français l'ont prouvé aux allemands en brûlant la bibliothèque de Heidelberg, et les allemands l'ont prouvé aux français en brûlant la bibliothèque de Strasbourg. Ce pont, ajouté à la Tourgue, était donc stratégiquement une faute; mais au dixseptième siècle, sous Colbert et Louvois, les princes Gauvain, pas plus que les princes de Rohan ou les princes de la Trémoille, ne se croyaient désormais assiégeables. Pourtant les constructeurs du pont avaient pris quelques précautions. Premièrement, ils avaient prévu l'incendie; audessous des trois fenêtres du côté aval, ils avaient accroché transversalement, à des crampons qu'on voyait encore il y a un demisiècle, une forte échelle de sauvetage ayant pour longueur la hauteur des deux premiers étages du pont, hauteur qui dépassait celle de trois étages ordinaires; deuxièmement, ils avaient prévu l'assaut; ils avaient isolé le pont de la tour au moyen d'une lourde et basse porte de fer; cette porte était cintrée; on la fermait avec une grosse clef qui était dans une cachette connue du maître seul, et, une fois fermée, cette porte pouvait défier le bélier, et presque braver le boulet.

Il fallait passer par le pont pour arriver à cette porte, et passer par cette porte pour pénétrer dans la tour. Pas d'autre entrée.

Le deuxième étage du châtelet du pont, surélevé à cause des piles, correspondait avec le deuxième étage de la tour; c'est à cette hauteur que, pour plus de sûreté, avait été placée la porte de fer.

La porte de fer s'ouvrait du côté du pont sur la bibliothèque et du côté de la tour sur une grande salle voûtée avec pilier au centre. Cette salle, on vient de le dire, était le second étage du donjon. Elle était ronde comme la tour; de longues meurtrières, donnant sur la campagne, l'éclairaient. La muraille, toute sauvage, était nue, et rien n'en cachait les pierres, d'ailleurs très symétriquement ajustées. On arrivait à cette salle par un escalier en colimaçon pratiqué dans la muraille, chose toute simple quand les murs ont quinze pieds d'épaisseur. Au moyenâge on prenait une ville rue par rue, une rue maison par maison, une maison chambre par chambre. On assiégeait une forteresse étage par étage. La Tourgue était sous ce rapport fort savamment disposée et très revêche et très difficile. On montait d'un étage à l'autre par un escalier en spirale d'un abord malaisé; les portes étaient de biais et n'avaient pas hauteur d'homme, et il fallait baisser la tête pour y passer; or, tête baissée c'est tête assommée; et, à chaque porte, l'assiégé attendait l'assiégeant.

Il y avait audessous de la salle ronde à pilier deux chambres pareilles, qui étaient le premier étage et le rezdechaussée, et audessus trois; sur ces six chambres superposées la tour se fermait par un couvercle de pierre qui était la plateforme, et où l'on arrivait par une étroite guérite.

Les quinze pieds d'épaisseur de muraille qu'on avait dû percer pour y placer la porte de fer, et au milieu desquels elle était scellée, l'emboîtaient dans une longue voussure; de sorte que la porte, quand elle était fermée, était, tant du côté de la tour que du côté du pont, sous un porche de six ou sept pieds de profondeur; quand elle était ouverte, ces deux porches se confondaient et faisaient la voûte d'entrée.

Sous le porche du côté du pont s'ouvrait dans l'épaisseur du mur le guichet bas d'une visdeSaintGilles qui menait au couloir du premier étage sous la bibliothèque; c'était encore là une difficulté pour l'assiégeant. Le châtelet sur le pont n'offrait à son extrémité du côté du plateau qu'un mur à pic, et le pont était coupé là. Un pontlevis, appliqué contre une porte basse, le mettait en communication avec le plateau, et ce pontlevis, qui, à cause de la hauteur du plateau, ne s'abaissait jamais qu'en plan incliné, donnait dans le long couloir dit salle des gardes. Une fois maître de ce couloir, l'assiégeant, pour arriver à la porte de fer, était forcé d'enlever de vive force l'escalier en visdeSaintGilles qui montait au deuxième étage.

Quant à la bibliothèque, c'était une salle oblongue ayant la largeur et la longueur du pont, et une porte unique, la porte de fer. Une fausse porte battante, capitonnée de drap vert, et qu'il suffisait de pousser, masquait à l'intérieur la voussure d'entrée de la tour. Le mur de la bibliothèque était du haut en bas, et du plancher au plafond, revêtu d'armoires vitrées dans le beau goût de menuiserie du dixseptième siècle. Six grandes fenêtres, trois de chaque côté, une audessus de chaque arche, éclairaient cette bibliothèque. Par ces fenêtres, du dehors et du haut du plateau, on en voyait l'intérieur. Dans les entredeux de ces fenêtres se dressaient sur des gaines de chêne sculpté six bustes de marbre, Hermolaüs de Byzance, Athénée, grammairien naucratique, Suidas, Casaubon, Clovis, roi de France, et son chancelier Anachalus, lequel, du reste n'était pas plus chancelier que Clovis n'était roi.

Il y avait dans cette bibliothèque des livres quelconques.

Un est resté célèbre. C'était un vieil inquarto avec estampes, portant pour titre en grosses lettres SAINTBARTHÉLEMY, et pour soustitre Evangile selon saint Barthélemy, précédé d'une dissertation de Pantoenus, philosophe chrétien, sur la question de savoir si cet évangile doit être réputé apocryphe et si saint Barthélemy est le même que Nathanaël. Ce livre, considéré comme exemplaire unique, était sur un pupitre au milieu de la bibliothèque. Au dernier siècle, on le venait voir par curiosité.

Quant au grenier, qui avait, comme la bibliothèque, la forme oblongue du pont, c'était simplement le dessous de la charpente du toit. Cela faisait une grande halle encombrée de paille et de foin, et éclairée par six mansardes. Pas d'autre ornement qu'une figure de saint Barnabé sculptée sur la porte et audessous ce vers:

Barnabus sanctus falcem jubet ire per herbam.

Ainsi une haute et large tour, à six étages, percée çà et là de quelques meurtrières, ayant pour entrée et pour issue unique une porte de fer donnant sur un pontchâtelet fermé par un pontlevis; derrière la tour, la forêt; devant la tour un plateau de bruyères, plus haut que le pont, plus bas que la tour; sous le pont, entre la tour et le plateau, un ravin profond, étroit, plein de broussailles, torrent en hiver, ruisseau au printemps, fossé pierreux l'été, voilà ce que c'était que la TourGauvain, dite la Tourgue.

Juillet s'écoula, août vint, un souffle héroïque et féroce passait sur la France, deux spectres venaient de traverser l'horizon, Marat un couteau au flanc, Charlotte Corday sans tête, tout devenait formidable. Quant à la Vendée, battue dans la grande stratégie, elle se réfugiait dans la petite, plus redoutable, nous l'avons dit; cette guerre était maintenant une immense bataille, déchiquetée dans les bois; les désastres de la grosse armée, dite catholique et royale, commençaient; un décret envoyait en Vendée l'armée de Mayence; huit mille vendéens étaient morts à Ancenis; les vendéens étaient repoussés de Nantes, débusqués de Montaigu, expulsés de Thouars, chassés de Noirmoutier, culbutés hors de Cholet, de Mortagne et de Saumur; ils évacuaient Parthenay; ils abandonnaient Clisson; ils lâchaient pied à Châtillon; ils perdaient un drapeau à SaintHilaire; ils étaient battus à Pornic, aux Sables, à Fontenay, à Doué, au Châteaud'Eau, aux PontsdeCé; ils étaient en échec à Luçon, en retraite à la Châtaigneraye, en déroute à la RochesurYon; mais, d'une part, ils menaçaient la Rochelle, et d'autre part, dans les eaux de Guernesey, une flotte anglaise, aux ordres du général Craig, portant, mêlés aux meilleurs officiers de la marine française, plusieurs régiments anglais, n'attendait qu'un signal du marquis de Lantenac pour débarquer. Ce débarquement pouvait redonner la victoire à la révolte royaliste. Pitt était d'ailleurs un malfaiteur d'état; dans la politique il y a la trahison de même que dans la panoplie il y a le poignard; Pitt poignardait notre pays et trahissait le sien; c'est trahir son pays que de le déshonorer; l'Angleterre, sous lui et par lui, faisait la guerre punique. Elle espionnait, fraudait, mentait. Braconnière et faussaire, rien ne lui répugnait; elle descendait jusqu'aux minuties de la haine. Elle faisait accaparer le suif, qui coûtait cinq francs la livre; on saisissait à Lille, sur un anglais, une lettre de Prigent, agent de Pitt en Vendée, où on lisait ces lignes: «Je vous prie de ne pas épargner l'argent. Nous espérons que les assassinats se feront avec prudence, les prêtres déguisés et les femmes sont les personnes les plus propres à cette opération. Envoyez soixante mille livres à Rouen et cinquante mille livres à Caen.» Cette lettre fut lue par Barère à la Convention le er août. A ces perfidies ripostaient les sauvageries de Parrein et plus tard les atrocités de Carrier. Les républicains de Metz et les républicains du Midi demandaient à marcher contre les rebelles. Un décret ordonnait la formation de vingtquatre compagnies de pionniers pour incendier les haies et les clôtures du Bocage. Crise inouïe. La guerre ne cessait sur un point que pour recommencer sur l'autre. Pas de grâce! pas de prisonniers! était le cri des deux partis. L'histoire était pleine d'une ombre terrible.

Dans ce mois d'août la Tourgue était assiégée.

Un soir, pendant le lever des étoiles, dans le calme d'un crépuscule caniculaire, pas une feuille ne remuant dans la forêt, pas une herbe ne frissonnant dans la plaine, à travers le silence de la nuit tombante, un son de trompe se fit entendre. Ce son de trompe venait du haut de la tour.

A ce son de trompe répondit un coup de clairon qui venait d'en bas.

Au haut de la tour il y avait un homme armé; en bas, dans l'ombre, il y avait un camp.

On distinguait confusément dans l'obscurité autour de la TourGauvain un fourmillement de formes noires. Ce fourmillement était un bivouac. Quelques feux commençaient à s'y allumer sous les arbres de la forêt et parmi les bruyères du plateau, et piquaient çà et là de points lumineux les ténèbres, comme si la terre voulait s'étoiler en même temps que le ciel. Sombres étoiles que celles de la guerre! Le bivouac du côté du plateau se prolongeait jusqu'aux plaines et du côté de la forêt s'enfonçait dans le hallier. La Tourgue était bloquée.

L'étendue du bivouac des assiégeants indiquait une troupe nombreuse.

Le camp serrait la forteresse étroitement, et venait du côté de la tour jusqu'au rocher et du côté du pont jusqu'au ravin.

Il y eut un deuxième bruit de trompe que suivit un deuxième coup de clairon.

Cette trompe interrogeait et ce clairon répondait.

Cette trompe, c'était la tour qui demandait au camp: Peuton vous parler? et ce clairon, c'était le camp qui répondait: Oui.

A cette époque, les vendéens n'étant pas considérés par la Convention comme belligérants, et défense étant faite par décret d'échanger avec les «brigands» des parlementaires, on suppléait comme on pouvait aux communications que le droit des gens autorise dans la guerre ordinaire et interdit dans la guerre civile. De là, dans l'occasion, une certaine entente entre la trompe paysanne et le clairon militaire. Le premier appel n'était qu'une entrée en matière, le second appel posait la question: Voulezvous écouter? Si, à ce second appel, le clairon se taisait, refus; si le clairon répondait, consentement. Cela signifiait: Trêve de quelques instants.

Le clairon ayant répondu au deuxième appel, l'homme qui était au haut de la tour parla, et l'on entendit ceci:

«Hommes qui m'écoutez, je suis GougeleBruant, surnommé BriseBleu, parce que j'ai exterminé beaucoup des vôtres, et surnommé aussi l'Imânus, parce que j'en tuerai encore plus que je n'en ai tué; j'ai eu le doigt coupé d'un coup de sabre sur le canon de mon fusil à l'attaque de Granville, et vous avez fait guillotiner à Laval mon père et ma mère et ma soeur Jacqueline, âgée de dixhuit ans. Voilà ce que je suis.

«Je vous parle au nom de monseigneur le marquis Gauvain de Lantenac, vicomte de Fontenay, prince breton, seigneur des sept forêts, mon maître.

«Sachez d'abord que monseigneur le marquis, avant de s'enfermer dans cette tour où vous le tenez bloqué, a distribué la guerre entre six chefs, ses lieutenants; il a donné à Delière le pays entre la route de Brest et la route d'Entrée; à Treton le pays entre la Roë et Laval; à Jacquet, dit Taillefer, la lisière du HautMaine; à Gaulier, dit GrandPierre, ChâteauGontier; à Lecomte, Craon; Fougères, à monsieur DuboisGuy; et toute la Mayenne à monsieur de Rochambeau; de sorte que rien n'est fini pour vous par la prise de cette forteresse, et que, lors même que monseigneur le marquis mourrait, la Vendée de Dieu et du roi ne mourra pas.

«Ce que j'en dis, sachez cela, est pour vous avertir. Monseigneur est là, à mes côtés. Je suis la bouche par où passent ses paroles. Hommes qui nous assiégez, faites silence.

«Voici ce qu'il importe que vous entendiez:

«N'oubliez pas que la guerre que vous nous faites n'est point juste. Nous sommes des gens qui habitons notre pays, et nous combattons honnêtement, et nous sommes simples et purs sous la volonté de Dieu comme l'herbe sous la rosée. C'est la république qui nous a attaqués; elle est venue nous troubler dans nos campagnes, et elle a brûlé nos maisons et nos récoltes et mitraillé nos métairies, et nos femmes et nos enfants ont été obligés de s'enfuir pieds nus dans les bois pendant que la fauvette d'hiver chantait encore.

«Vous qui êtes ici et qui m'entendez, vous nous avez traqués dans la forêt, et vous nous cernez dans cette tour; vous avez tué ou dispersé ceux qui s'étaient joints à nous; vous avez du canon; vous avez réuni à votre colonne les garnisons et postes de Mortain, de Barenton, de Teilleul, de Landivy, d'Evran, de Tinténiac et de Vitré, ce qui fait que vous êtes quatre mille cinq cents soldats qui nous attaquez; et nous, nous sommes dixneuf hommes qui nous défendons.

«Nous avons des vivres et des munitions.

«Vous avez réussi à pratiquer une mine et à faire sauter un morceau de notre rocher et un morceau de notre mur.

«Cela a fait un trou au pied de la tour, et ce trou est une brèche par laquelle vous pouvez entrer, bien qu'elle ne soit pas à ciel ouvert et que la tour, toujours forte et debout, fasse voûte audessus d'elle.

«Maintenant vous préparez l'assaut.

«Et nous, d'abord monseigneur le marquis, qui est prince de Bretagne et prieur séculier de l'abbaye de SainteMarie de Lantenac, où une messe de tous les jours a été fondée par la reine Jeanne, ensuite les autres défenseurs de la tour, dont est monsieur l'abbé Turmeau, en guerre GrandFrancoeur, mon camarade Guinoiseau, qui est capitaine du CampVert, mon camarade ChanteenHiver, qui est capitaine du camp de l'Avoine, mon camarade la Musette, qui est capitaine du camp des Fourmis, et moi, paysan, qui suis né au bourg de Daon, où coule le ruisseau Moriandre, nous tous, nous avons une chose à vous dire.

«Hommes qui êtes au bas de cette tour, écoutez.

«Nous avons en nos mains trois prisonniers, qui sont trois enfants. Ces enfants ont été adoptés par un de vos bataillons, et ils sont à vous. Nous vous offrons de vous rendre ces trois enfants.

«A une condition.

«C'est que nous aurons la sortie libre.

«Si vous refusez, écoutez bien, vous ne pouvez attaquer que de deux façons, par la brèche, du côté de la forêt, ou par le pont, du côté du plateau. Le bâtiment sur le pont a trois étages; dans l'étage d'en bas, moi l'Imânus, moi qui vous parle, j'ai fait mettre six tonnes de goudron et cent fascines de bruyères sèches; dans l'étage d'en haut, il y a de la paille; dans l'étage du milieu, il y a des livres et des papiers; la porte de fer qui communique du pont avec la tour est fermée, et monseigneur en a la clef sur lui; moi, j'ai fait sous la porte un trou, et par ce trou passe une mèche soufrée dont un bout est dans une des tonnes de goudron et l'autre bout à la portée de ma main, dans l'intérieur de la tour; j'y mettrai le feu quand bon me semblera. Si vous refusez de nous laisser sortir, les trois enfants seront placés dans le deuxième étage du pont, entre l'étage où aboutit la mèche soufrée et où est le goudron, et l'étage où est la paille, et la porte de fer sera refermée sur eux. Si vous attaquez par le pont, ce sera vous qui incendierez le bâtiment; si vous attaquez à la fois par la brèche et par le pont, le feu sera mis à la fois par vous et par nous; et, dans tous les cas, les trois enfants périront.

«A présent, acceptez ou refusez.

«Si vous acceptez, nous sortons.

«Si vous refusez, les enfants meurent.

«J'ai dit.»

L'homme qui parlait du haut de la tour se tut.

Une voix d'en bas cria:

Nous refusons.

Cette voix était brève et sévère. Une autre voix moins dure, ferme pourtant, ajouta:

Nous vous donnons vingtquatre heures pour vous rendre à discrétion.

Il y eut un silence, et la même voix continua:

Demain, à pareille heure, si vous n'êtes pas rendus, nous donnons l'assaut.

Et la première voix reprit:

Et alors pas de quartier.

A cette voix farouche, une autre voix répondit du haut de la tour. On vit entre deux créneaux se pencher une haute silhouette dans laquelle on put, à la lueur des étoiles, reconnaître la redoutable figure du marquis de Lantenac, et cette figure d'où un regard tombait dans l'ombre et semblait chercher quelqu'un, cria:

Tiens, c'est toi, prêtre!

Oui, c'est moi, traître! répondit la rude voix d'en bas.

La voix implacable en effet était la voix de Cimourdain; la voix plus jeune et moins absolue était celle de Gauvain.

Le marquis de Lantenac, en reconnaissant l'abbé Cimourdain, ne s'était pas trompé.

En peu de semaines, dans ce pays que la guerre civile faisait sanglant, Cimourdain, on le sait, était devenu fameux; pas de notoriété plus lugubre que la sienne; on disait: Marat à Paris, Châlier à Lyon, Cimourdain en Vendée. On flétrissait l'abbé Cimourdain de tout le respect qu'on avait eu pour lui autrefois; c'est là l'effet de l'habit de prêtre retourné. Cimourdain faisait horreur. Les sévères sont des infortunés; qui voit leurs actes les condamne, qui verrait leur conscience les absoudrait peutêtre. Un Lycurgue qui n'est pas expliqué semble un Tibère. Quoi qu'il en fût, deux hommes, le marquis de Lantenac et l'abbé Cimourdain, étaient égaux dans la balance de haine; la malédiction des royalistes sur Cimourdain faisait contrepoids à l'exécration des républicains pour Lantenac. Chacun de ces deux hommes était, pour le camp opposé, le monstre; à tel point qu'il se produisit ce fait singulier que, tandis que Prieur de la Marne à Granville mettait à prix la tête de Lantenac, Charette à Noirmoutier mettait à prix la tête de Cimourdain.

Disonsle, ces deux hommes, le marquis et le prêtre, étaient jusqu'à un certain point le même homme. Le masque de bronze de la guerre civile a deux profils, l'un tourné vers le passé, l'autre tourné vers l'avenir, mais aussi tragiques l'un que l'autre. Lantenac était le premier de ces profils, Cimourdain était le second; seulement l'amer rictus de Lantenac était couvert d'ombre et de nuit, et sur le front fatal de Cimourdain il y avait une lueur d'aurore.

Cependant la Tourgue assiégée avait un répit.

Grâce à l'intervention de Gauvain, on vient de le voir, une sorte de trêve de vingtquatre heures avait été convenue.

L'Imânus, du reste, était bien renseigné, et, par suite des réquisitions de Cimourdain, Gauvain avait maintenant sous ses ordres quatre mille cinq cents hommes, tant garde nationale que troupe de ligne, avec lesquels il cernait Lantenac dans la Tourgue, et il avait pu braquer contre la forteresse douze pièces de canon, six du côté de la tour, sur la lisière de la forêt, en batterie enterrée, et six du côté du pont, sur le plateau, en batterie haute. Il avait pu faire jouer la mine, et la brèche était ouverte au pied de la tour.

Ainsi, sitôt les vingtquatre heures de trêve expirées, la lutte allait s'engager dans les conditions que voici:

Sur le plateau et dans la forêt, on était quatre mille cinq cents.

Dans la tour, dixneuf.

Les noms de ces dixneuf assiégés peuvent être retrouvés par l'histoire dans les affiches de mise hors la loi. Nous les rencontrerons peutêtre.

Pour commander à ces quatre mille cinq cents hommes qui étaient presque une armée, Cimourdain aurait voulu que Gauvain se laissât faire adjudant général. Gauvain avait refusé, et avait dit:Quand Lantenac sera pris, nous verrons. Je n'ai encore rien mérité.

Ces grands commandements avec d'humbles grades étaient d'ailleurs dans les moeurs républicaines. Bonaparte, plus tard, fut en même temps chef d'escadron d'artillerie et général en chef de l'armée d'Italie.

La TourGauvain avait une destinée étrange: un Gauvain l'attaquait, un Gauvain la défendait. De là, une certaine réserve dans l'attaque, mais non dans la défense, car M. de Lantenac était de ceux qui ne ménagent rien, et d'ailleurs il avait surtout habité Versailles et n'avait aucune superstition pour la Tourgue, qu'il connaissait à peine. Il était venu s'y réfugier, n'ayant plus d'autre asile, voilà tout; mais il l'eût démolie sans scrupule. Gauvain était plus respectueux.

Le point faible de la forteresse était le pont; mais dans la bibliothèque, qui était sur le pont, il y avait les archives de la famille; si l'assaut était donné là, l'incendie du pont était inévitable; il semblait à Gauvain que brûler les archives, c'était attaquer ses pères. La Tourgue était le manoir de famille des Gauvain; c'est de cette tour que mouvaient tous leurs fiefs de Bretagne, de même que tous les fiefs de France mouvaient de la tour du Louvre: les souvenirs domestiques des Gauvain étaient là; luimême, il y était né; les fatalités tortueuses de la vie l'amenaient à attaquer, homme, cette muraille vénérable qui l'avait protégé enfant. Seraitil impie envers cette demeure jusqu'à la mettre en cendres? Peutêtre son propre berceau, à lui Gauvain, étaitil dans quelque coin du grenier de la bibliothèque. Certaines réflexions sont des émotions. Gauvain, en présence de l'antique maison de famille, se sentait ému. C'est pourquoi il avait épargné le pont. Il s'était borné à rendre toute sortie ou toute évasion impossible par cette issue et à tenir le pont en respect par une batterie, et il avait choisi pour l'attaque le côté opposé. De là, la mine et la sape au pied de la tour.

Cimourdain l'avait laissé faire; il se le reprochait; car son âpreté fronçait le sourcil devant toutes ces vieilleries gothiques, et il ne voulait pas plus l'indulgence pour les édifices que pour les hommes. Ménager un château, c'était un commencement de clémence. Or la clémence était le côté faible de Gauvain. Cimourdain, on le sait, le surveillait et l'arrêtait sur cette pente, à ses yeux funeste. Pourtant luimême, et en ne se l'avouant qu'avec une sorte de colère, il n'avait pas revu la Tourgue sans un secret tressaillement; il se sentait attendri devant cette salle studieuse où étaient les premiers livres qu'il eût fait lire à Gauvain; il avait été curé du village voisin, Parigné; il avait, lui Cimourdain, habité les combles du châtelet du pont; c'est dans la bibliothèque qu'il tenait entre ses genoux le petit Gauvain épelant l'alphabet; c'est entre ces vieux quatre murslà qu'il avait vu son élève bienaimé, le fils de son âme, grandir comme homme et croître comme esprit. Cette bibliothèque, ce châtelet, ces murs pleins de ses bénédictions sur l'enfant, allaitil les foudroyer et les brûler? Il leur faisait grâce. Non sans remords.

Il avait laissé Gauvain entamer le siège sur le point opposé. La Tourgue avait son côté sauvage, la tour, et son côté civilisé, la bibliothèque. Cimourdain avait permis à Gauvain de ne battre en brèche que le côté sauvage.

Du reste, attaquée par un Gauvain, défendue par un Gauvain, cette vieille demeure revenait, en pleine révolution française, à ses habitudes féodales. Les guerres entre parents sont toute l'histoire du moyenâge; les Etéocles et les Polynices sont gothiques aussi bien que grecs, et Hamlet fait dans Elseneur ce qu'Oreste a fait dans Argos.

Milton Keynes UK
Ingram Content Group UK Ltd.
UKHW030625110923
428455UK00009B/545